DIÁRIOS

SUSAN SONTAG

Diários
(*1947-63*)

Organização e prefácio
David Rieff

Tradução
Rubens Figueiredo

1ª reimpressão

COMPANHIA DAS LETRAS

Copyright © 2008 by Espólio de Susan Sontag
Copyright do prefácio © 2008 by David Rieff
Todos os direitos reservados.

*Grafia atualizada segundo o Acordo Ortográfico da Língua Portuguesa de 1990,
que entrou em vigor no Brasil em 2009.*

Título original
Reborn

Foto de capa
Fred W. McDarrah/ Getty Images

Preparação
Leny Cordeiro

Revisão
Veridiana Maenaka
Isabel Jorge Cury

Atualização ortográfica
Carmen T. S. da Costa

Dados Internacionais de Catalogação na Publicação (CIP)
(Câmara Brasileira do Livro, SP, Brasil)

Sontag, Susan, 1933-2004
    Diários : (1947-63) / Susan Sontag ; organização e prefácio David
Rieff ; tradução Rubens Figueiredo. — 1ª ed. — São Paulo : Companhia
das Letras, 2009.

    Título original : Reborn.
    ISBN 978-85-359-1507-5

    1. Escritores americanos — Século 20 — Diários 2. Mulheres e
literatura — Estados Unidos — História — Século 20 3. Sontag, Susan,
1933-2004 — Anotações, rascunhos etc. 4. Sontag, Susan, 1933-2004 —
Diários I. Rieff, David. II. Título.

09-06427   CDD-818.5409

Índice para catálogo sistemático:
1. Escritoras norte-americanas : Diários   818.5409

Todos os direitos desta edição reservados à
EDITORA SCHWARCZ S.A.
Rua Bandeira Paulista, 702, cj. 32
04532-002 — São Paulo — SP
Telefone: (11) 3707-3500
www.companhiadasletras.com.br
www.blogdacompanhia.com.br
facebook.com/companhiadasletras
instagram.com/companhiadasletras
twitter.com/cialetras

Sumário

Prefácio de David Rieff, 7

Diários, 15

Prefácio

Sempre achei que uma das coisas mais tolas que os vivos dizem a respeito dos mortos é a expressão "fulano teria desejado que fosse assim". No máximo é palpite; na maioria das vezes, é húbris, por melhor que seja a intenção. A gente não tem como saber. Assim, o que quer que se possa dizer sobre a publicação de *Diários* (1947-63), o primeiro volume do que será um dia uma coletânea dos diários de Susan Sontag em três volumes, não é este o livro que ela teria feito — e isso supõe, em primeiro lugar, que ela teria resolvido publicar estes diários. Em vez disso, a decisão de publicar e a seleção foram apenas minhas. Mesmo quando não existe a questão da censura, os perigos literários e os riscos morais de tal empreitada são evidentes. *Caveat lector*.

Não é uma decisão que eu quis tomar. Mas minha mãe morreu sem deixar instruções sobre o que fazer com seus papéis e seus escritos inacabados ou não organizados. Isso pode parecer destoante para uma pessoa tão zelosa com a sua obra, que trabalhava arduamente nas traduções, mesmo para idiomas que conhecia apenas por alto, e que tinha opiniões abalizadas e firmes sobre edi-

7

tores e revistas do mundo inteiro. Porém, a despeito da letalidade da síndrome mielodisplásica, o câncer no sangue que a matou em 28 de dezembro de 2004, até poucas semanas antes da sua morte ela continuava a acreditar que ia sobreviver. Assim, em vez de falar sobre como queria que os outros cuidassem da sua obra quando já não estivesse mais presente para cuidar por si mesma — como provavelmente teria feito alguém mais conformado com a morte —, ela falava de modo enfático em voltar ao trabalho e de tudo o que escreveria assim que saísse do hospital.

No que me diz respeito, minha mãe tinha um direito absoluto de morrer como quisesse. Não devia nada à posteridade, muito menos a mim, enquanto lutava para viver. Mas é óbvio que existem consequências involuntárias da sua decisão — a mais importante aqui é que coube a mim decidir como publicar os escritos que ela deixou. No caso dos seus ensaios, publicados em *Ao mesmo tempo* dois anos após sua morte, as escolhas foram relativamente fáceis. A despeito do fato de que minha mãe por certo os teria revisado de forma substancial antes de sua republicação, os ensaios já haviam sido publicados, ou lidos em palestras, enquanto ela era viva. Suas intenções estavam claras.

Estes diários são um caso em tudo distinto. Foram escritos só para ela mesma continuamente desde o início da adolescência até os seus últimos anos de vida, quando seu prazer com o computador e com os e-mails parece ter posto um freio no interesse em manter um diário. Ela nunca permitiu que nenhuma linha deles fosse publicada, tampouco; ao contrário de alguns autores de diários, os lia para os amigos, embora os mais íntimos soubessem da existência dos diários e do seu costume de, após completar um caderno, colocá-lo com os precedentes no amplo closet do seu quarto, perto dos outros pertences queridos, mas essencialmente particulares, como fotos de família e recordações da infância.

Na época em que adoeceu pela última vez, na primavera de

2004, havia cerca de cem cadernos desse tipo. E outros apareceram, quando sua assistente, Anne Jump, e seu amigo mais íntimo, Paolo Dilonardo, e eu começamos a separar seus objetos pessoais um ano depois de sua morte. Eu não tinha a mais vaga ideia do que havia neles. A única conversa que tive com minha mãe sobre esses cadernos foi quando ela adoeceu pela primeira vez e ainda não havia reavivado sua crença de que sobreviveria à leucemia, como sobrevivera aos dois cânceres anteriores de que tinha padecido. E foi apenas uma frase dita num sussurro: "Você sabe onde estão os diários". Nada disse sobre o que queria que eu fizesse com eles.

Não posso garantir, mas tendo a crer que, se ficasse a meu critério, eu teria esperado um bom tempo antes de publicar os diários, ou talvez nunca os publicasse. Houve até ocasiões em que pensei em queimá-los. Mas foi pura fantasia. A realidade, em todo caso, é que os diários concretos não pertencem a mim. Enquanto ainda estava bem, minha mãe vendeu seus papéis para a Universidade da Califórnia na biblioteca de Los Angeles, e o acordo rezava que iriam para lá após sua morte, com seus papéis e seus livros, como aconteceu. E como o contrato assinado por minha mãe não restringia o acesso em nenhum sentido importante, logo tive a impressão de que a decisão já havia sido tomada por mim. Se eu não os organizasse e apresentasse, outra pessoa o faria. Pareceu melhor ir em frente.

Meu receio permanece. Dizer que estes diários são autorreveladores é uma atenuação drástica. Preferi incluir uma boa quantidade de juízos muito severos de minha mãe. Ela era uma grande "juíza". Mas expor essa sua faculdade — e estes diários estão repletos de revelações — é, inevitavelmente, convidar o leitor a *julgá-la*. Um dos principais dilemas em tudo isso foi que, pelo menos nos últimos anos de vida, minha mãe não foi de maneira alguma uma pessoa que expusesse a si mesma. Em especial, evitava o mais possível, sem negá-la, qualquer discussão a respeito da sua homossexualidade ou qualquer admissão da sua ambição pessoal. Assim, seguramente, minha decisão viola a privacidade dela. Não há outra maneira de expressar isso com justiça.

Em contraste, estes diários se fundamentam na sua descoberta, quando adolescente, da sua própria natureza sexual, das primeiras experiências quando era uma caloura de dezesseis anos na Universidade da Califórnia, em Berkeley, e nos dois relacionamentos importantes que teve no início da vida adulta — primeiro com Harriet Sohmers Zwerling, que conheceu naquele mesmo ano na Universidade da Califórnia e com quem, mais tarde, iria morar em Paris, em 1957; e depois com a dramaturga Maria Irene Fornes, que conhecera naquele mesmo ano em Paris (Fornes e Zwerling já tinham sido amantes), em Nova York entre 1959 e 1963, depois que minha mãe voltou para os Estados Unidos, divorciou-se do meu pai e se mudou para Manhattan.

Depois que resolvi publicar seus diários, nem passou pela minha cabeça excluir qualquer material, fosse com base na ideia de que iluminaria certo ângulo de minha mãe, ou sua franqueza sexual, ou sua descortesia com alguém que figure nos diários, embora eu tenha preferido omitir os nomes verdadeiros ou alguns indivíduos particulares. Ao contrário, meu critério de seleção foi parcialmente determinado pela ideia de que o mais convincente nos diários eram a crueza e o retrato sem verniz que estes documentos apresentam de Susan Sontag quando jovem, a qual conscientemente e de forma decidida se empenhou em criar a pessoa que ela queria ser. É por essa razão que escolhi *Renascida* como título deste volume,* aproveitando uma expressão que aparece na capa de um dos primeiros cadernos; parece resumir o que aconteceu com minha mãe da infância em diante.

Nenhum escritor americano da sua geração foi mais ligado a

---

* O título original em inglês é *Reborn*. (N. E.)

gostos europeus do que minha mãe. É impossível imaginá-la dizendo que tinha "Tucson inteira" ou "Sherman Oaks, Califórnia, inteira" para contar, como John Updike, que, referindo-se ao seu início de carreira como escritor, disse que tinha para contar toda a sua cidade natal, Shilington, na Pensilvânia. Mais impossível ainda é imaginar minha mãe voltando à infância ou a seu contexto social e étnico em busca de inspiração, como muitos escritores judeus americanos da sua geração fizeram. A sua história — de novo, a pertinência do título *Renascida* me parece reforçada — é exatamente o contrário. De muitas formas, é o mesmo que acontece com Lucien de Rubempré — o jovem ambicioso que vem das províncias remotas e quer se tornar uma pessoa importante na capital.

Claro, minha mãe nada tinha de Rubempré em nenhum outro aspecto de caráter, temperamento ou projeto. Não queria garantir favores. Ao contrário, acreditava na sua estrela. Desde o início da adolescência teve a sensação de possuir dons especiais e de ter uma contribuição a dar. O desejo ferrenho e incansável de expandir e aprofundar constantemente sua formação — um projeto que ocupa muito espaço nos diários e que tentei incluir na mesma proporção nesta seleção — era de certo modo a materialização dessa ideia de si mesma. Ela queria ser digna dos escritores, pintores e músicos que reverenciava. Era nesse sentido que a *mot d'ordre* de Isaac Bábel, "Você tem de conhecer tudo", podia muito bem ser a de Susan Sontag.

Isso é exatamente o contrário da maneira como pensamos hoje. Uma crença em si mesmo é uma constante na consciência daqueles que venceram no mundo, mas a forma dessa autoconfiança é determinada culturalmente e varia muito de uma época para outra. Minha mãe, eu acho, era uma consciência do século XIX, e a concentração na sua própria pessoa, mostrada nestes diários, tem algo do tom daqueles grandes "realizadores" — Carlyle me vem à mente. E isso está muito longe do registro em que a ambição se exprime no início do século XXI. Um leitor em busca de ironia não encontrará nada. Minha mãe estava profundamente consciente disso. No seu ensaio sobre Elias Canetti, que, com seu texto sobre Walter Benjamin, sempre considerei o mais próximo de uma investida no campo da autobiografia que minha mãe chegou a escrever, ela citou com aprovação a meditação de Canetti: "Tento imaginar alguém dizendo para Shakespeare: 'Relaxe!'".

Então mais uma vez, *caveat lector*. Este é um diário no qual a arte é vista como uma questão de vida ou morte, no qual a ironia é tida como um vício, não uma virtude, e no qual a seriedade é o maior dos bens. Minha mãe já exibia tais traços desde cedo. E nunca precisou de gente que tentasse fazê-la relaxar. Ela lembrava que seu padrasto generoso e herói de guerra convencional havia pedido que não lesse tanto, senão nunca ia arranjar um marido. Uma variante mais culta e segura de si é o comentário do filósofo Stuart Hampshire, seu orientador em Oxford, sobre quem ela me contou certa vez que havia exclamado, com frustração, durante uma aula particular: "Ah, vocês, americanos! São tão sérios... iguais aos alemães". Ele não falou isso como um elogio; mas minha mãe o usava como uma condecoração honrosa.

Tudo isso pode fazer o leitor pensar que minha mãe era uma "europeia natural", no sentido de Isaiah Berlin, de que existiam europeus que eram americanos "naturais" e americanos que eram europeus "naturais". Mas não creio que isso esteja correto no caso da minha mãe. É verdade que, para ela, a literatura americana era um subúrbio das grandes literaturas da Europa — sobretudo a literatura alemã — e contudo, provavelmente, seu pressuposto mais profundo era de que ela poderia recriar-se, que todos nós podemos nos recriar, e que a formação podia ser descartada ou transcendida quase ao sabor de nossa vontade, ou melhor, se a pessoa tivesse a vontade. E o que é isso senão a personificação da observação de Fitzgerald de que "na vida dos americanos não existe segundo ato"? Como eu disse, em seu leito de morte, que ela jamais acreditou inteiramente que seria seu leito de morte, ela planejava o primeiro ato seguinte que iria viver depois que o tratamento lhe tivesse trazido mais algum tempo de vida.

Nisso, minha mãe foi notavelmente coerente. Uma das coisas que mais me impressionaram ao ler seus diários foi a sensação de que, da juventude até a velhice, minha mãe travava as mesmas batalhas, contra o mundo e contra si mesma. Seu sentimento de dominar as artes, sua sufocante confiança na justeza dos próprios julgamentos, sua extraordinária avidez — a noção de que tinha de ouvir todas as obras musicais, ver todas as obras de arte, ser uma entendida em todas as grandes obras da literatura — estão presentes desde o início, quando ela faz listas de livros que quer ler e depois vai riscando os títulos à medida que lê os livros. Mas também sua sensação de fracasso, de inaptidão para o amor e até para o erros. Sentia-se constrangida com o próprio corpo, ao mesmo tempo que se sentia serena em relação à própria mente.

Isso me deixa mais triste do que sou capaz de exprimir. Quando minha mãe era muito jovem, fez uma viagem à Grécia. Lá, viu uma apresentação de *Medeia* num anfiteatro no sul do Peloponeso. A experiência a emocionou profundamente porque, quando Medeia está prestes a matar seus filhos, várias pessoas na plateia começaram a gritar: "Não, não faça isso, Medeia!". "Aquelas pessoas não tinham a menor ideia de que estavam assistindo a uma obra de arte", ela me disse muitas vezes. "Tudo era real."

Estes diários também são reais. E ao lê-los sinto, com força, a aflição de reagir da mesma forma que aqueles espectadores gregos, em meados da década de 1950. Quero gritar: "Não faça isso", ou então "Não seja tão severa consigo mesma", ou "Não tenha uma ideia tão elevada de si mesma", ou "Cuidado com ela, ela não gosta de você". Mas é claro que cheguei tarde demais: a peça já foi encenada e o seu protagonista já partiu, assim como a maioria dos outros personagens, se bem que nem todos.

O que permanece é dor e pretensão. Estes diários oscilam entre as duas coisas. Será que minha mãe desejaria publicá-los? De novo, há razões práticas por trás da minha decisão não só de permitir sua publicação como de editá-los eu mesmo, embora haja neles certas coisas que sejam uma fonte de dor para mim, e muitas outras que eu preferia não saber, nem que os outros soubessem.

O que sei é que, como leitora e escritora, minha mãe adorava diários e cartas — quanto mais íntimos melhor. Assim, talvez a escritora Susan Sontag tivesse aprovado aquilo que fiz. De qualquer modo, espero que sim.

David Rieff

DIÁRIOS

1947

23/11/47

eu acredito:

a) que não existe nenhum deus pessoal nem vida após a morte;
b) que a coisa mais desejável do mundo é a liberdade de ser verdadeiro para si mesmo, ou seja, Honestidade;
c) que a única diferença entre os seres humanos é a inteligência;
d) que o único critério para uma ação é a felicidade ou a infelicidade individual que em última instância ela produz;
e) que é errado privar qualquer homem da vida [*faltam as entradas "f" e "g"*];
h) acredito, além disso, que um Estado ideal (além do que está em "g") deveria ser um Estado forte e centralizado, com o controle governamental dos serviços públicos, bancos, minas, + transporte e subsídios às artes, um salário mínimo confortável, apoio aos incapacitados e idosos. Atendimento público para mulheres grávidas, sem distinção de filhos legítimos e ilegítimos.

1948

13/4/48

As ideias perturbam a regularidade da vida.

29/7/48

... E o que é ser jovem durante anos e de repente despertar para a angústia, a premência da vida?

É ser alcançado, um dia, pelas reverberações daqueles que não acompanham, escapar da selva aos trambolhões e cair num abismo.

É, então, ser cego aos erros dos rebeldes, ter ânsias dolorosas, completas, depois de todos os opostos da existência da infância. É o ímpeto, o entusiasmo frenético, imediatamente submerso numa enxurrada de autodepreciação. É a consciência cruel da própria presunção...

É a humilhação com cada lapso verbal, noites insones consumidas ensaiando a conversa do dia seguinte, e torturando a si mesma por causa da conversa do dia anterior... uma cabeça abaixada entre as próprias mãos... é "meu deus, meu deus"... (em minúscula, é claro, pois não existe deus nenhum).

É a retração do sentimento pela própria família e por todos os ídolos da infância... É mentir... e o ressentimento, e depois o ódio...

É o surgimento do ceticismo, um exame profundo de cada pensamento, palavra e ação. ("Ah, ser perfeita e completamente sincera!") É um questionamento amargo e implacável dos motivos...

É descobrir que o catalisador, o [*A entrada se interrompe neste ponto.*]

19/8/48

Aquilo que, um dia, parecia um peso esmagador mudou claramente de posição, numa tática surpreendente, deslizou embaixo do meu pé fugidio, transformou-se numa força de sucção que me arrasta e me cansa. Como eu desejo me render! Como seria fácil convencer-me de que a vida de meus pais é digna de elogios! Se durante um ano eu só visse a eles e seus amigos, eu renunciaria — me renderia? Será que a minha "inteligência" precisa de um rejuvenescimento frequente nas fontes da insatisfação dos *outros* e sem isso morreria? Tomara que eu consiga cumprir esses votos! Pois posso sentir que estou escorregando, oscilando — em certos momentos, até aceito a ideia de ficar em casa para ir à faculdade.

A única coisa em que consigo pensar é na mamãe, como ela é bonita, que pele lisa ela tem, como me ama. Como ficou abalada quando chorou numa noite dessas — ela não queria que papai, que estava no outro quarto, ouvisse, e o barulho de cada onda de lágrimas sufocada era igual a um soluço gigantesco —, como as pessoas são covardes para se envolver, ou melhor, para se deixar passivamente envolver, por convenção, em relacionamentos estéreis — que vida podre, sombria, infeliz levam elas...

Como posso magoá-la mais ainda, arrasada como ela já está, por não resistir *nunca*?

Como posso me socorrer, me tornar cruel?

1º/9/48

O que significa a expressão "de pileque"?

Montanha de pedras atiradas.

Ler a tradução de [Stephen] Spender de *As elegias de Duíno* [de Rilke] o mais breve possível.

Estou mergulhando em Gide outra vez — que clareza e precisão! Sem dúvida, isso vem do próprio homem, que é incomparável — toda a sua ficção parece insignificante, ao passo que *A montanha mágica* [de Thomas Mann] é um livro para toda a vida.

Isto eu sei! *A montanha mágica* é o melhor romance que já li. A doçura da renovada e incessante familiaridade com essa obra e o prazer sereno e meditativo que sinto são incomparáveis. Contudo, pelo mero impacto emocional, por uma sensação de prazer *físico*, uma consciência do instante rápido, das vidas rapidamente desperdiçadas — pressa, pressa —, pelo conhecimento da vida — não, isso não — por um conhecimento da vitalidade — eu escolheria *Jean Christophe* [de Romain Rolland]. — Mas tinha de ser lido uma vez só.

... "Quando eu estiver morto, espero que digam: 'Os seus pecados foram graves, mas seus livros foram lidos.'" — Hilaire Belloc

Mergulhei em Gide a tarde inteira e ouvi [o maestro Fritz] Busch (festival Glyndebourne, numa gravação de *Don Giovanni* [de Mozart]. Diversas árias (que doçura de partir o coração!), eu repeti várias vezes ("*Mi tradi quel'alma ingrata*" e "*Fuggi, crudele, fuggi*"). Se eu pudesse ouvi-las sempre, como eu seria determinada e serena!

Desperdicei a noite toda com Nat [*Nathan Sontag, padrasto de SS*]. Me deu uma aula de direção e depois saí com ele e fingi gostar de um filme apelativo, em Technicolor.

Depois de escrever essa última frase, leio outra vez e penso em apagá-la. Porém, seria melhor deixar assim mesmo. — É inútil para mim registrar somente as partes agradáveis da minha existência — (Afinal, são tão poucas!) Vou anotar todo o estúpido desperdício de hoje, para que eu não seja complacente e transigente comigo mesma amanhã.

2/9/48

Discussão e lágrimas com Mildred [*mãe de Sontag, Mildred Sontag, cujo nome de solteira era Jacobson*] (dane-se!). Ela disse: "Você deveria estar bastante contente por eu ter casado com o Nat. Você nunca iria para Chicago, pode ter certeza disso! Nem consigo dizer como estou triste por causa disso, mas sinto que tenho de compensar você por isso".

Talvez eu devesse estar contente mesmo!!!

10/9/48

[*Escrito e datado na capa interna do exemplar de SS do segundo volume dos* Diários *de André Gide*]

Terminei de ler este livro às duas e meia da madrugada do mesmo dia em que o comprei...

Devia ter lido muito mais devagar e tenho de reler muitas vezes — Gide e eu alcançamos uma comunhão intelectual tão perfeita que chego a sentir as dores de parto próprias de cada pensamento que ele dá à luz! Assim, eu não penso: "Como isto é maravilhosamente lúcido!" — mas sim: "Pare! Não consigo pensar tão depressa assim! Ou melhor, não consigo crescer tão depressa assim!".

Pois eu não estou apenas lendo este livro, mas o criando eu mesma, e essa experiência única e enorme purgou minha mente de boa parte da confusão e da esterilidade que a entupiram durante estes meses horríveis...

19/12/48

Há tantos livros, peças e contos que tenho de ler — eis aqui apenas alguns:

Os moedeiros falsos — Gide
O imoralista —   "
Os subterrâneos do Vaticano — "
Corydon — Gide

Tar — Sherwood Anderson
The island within — Ludwig Lewisohn
Santuário — William Faulkner
Esther Waters — George Moore
Diário de um escritor — Dostoiévski
Às avessas — Huysmans
O discípulo — Paul Bourget
Sanin — Mikhail Artsibáchev
Johnny vai à guerra — Dalton Trumbo
A crônica dos Forsythe — Galsworthy
O egoísta — George Meredith
Diana of the crossways — "
The ordeal of Richard Feverel — "

poemas de Dante, Ariosto, Tasso, Tibulo, Heine, Púchkin, Rimbaud, Verlaine, Apollinaire peças de Synge, O'Neill, Calderón, Shaw, Hellman... [*A lista se estende por mais cinco páginas, mais de cem títulos são citados.*]

... Poesia tem de ser: exata, intensa, concreta, relevante, rítmica, formal, complexa

... A arte, portanto, está sempre lutando para ser independente da mera inteligência...

... A língua não é só um instrumento, mas um fim em si mesma...

... Por meio da lucidez imensa e precisamente direcionada de sua mente, Gerard Hopkins lavrou em palavras um mundo de imagens arrasadas e exultantes.

Graças a sua lucidez implacável, protegendo-se dos excessos de gordura mediante a rigorosa espiritualização da sua vida e da sua arte, ele ainda por cima criou uma obra, dentro do seu âmbito limitado, de um frescor sem paralelo. Sob o problema angustiado da sua alma...

25/12/48

Estou completamente entretida, neste momento, com uma das obras musicais mais belas que já ouvi — o concerto em si menor para *pianoforte* de Vivaldi, da gravadora Cetra-Soria, com Mario Salerno —

A música é, a uma só vez, a mais maravilhosa e a mais viva de todas as artes — é a mais abstrata, a mais perfeita, a mais pura — e a mais sensual. Eu ouço com o meu corpo e é o meu corpo que dói em resposta à paixão e ao páthos encarnados nessa música. É o "eu" físico que sente uma dor insuportável — e depois uma irritação enfadonha — quando todo o mundo da melodia de repente cintila e desaba em cascata na segunda parte do primeiro movimento — é a carne e o osso que morrem um pouco a cada vez que sou sugada para dentro da nostalgia do segundo movimento —

Estou quase à beira da loucura. Às vezes — penso — (com que cuidado escrevo estas palavras) — há momentos fugidios (ah, que passam tão depressa) em que sei, tão bem como sei que hoje é o Natal, que estou cambaleante à beira de um abismo ilimitado —

O que me leva a esta perturbação?, me pergunto. Como posso fazer o diagnóstico de mim mesma? Tudo o que sinto, do modo mais imediato, é a necessidade mais sofrida de *amor físico* e de companhia mental — sou muito jovem e talvez o aspecto perturbador das minhas ambições sexuais seja superado — *francamente, eu não me importo.* [*Na margem, e com data de 31 de maio de 1949, SS acrescenta as palavras: "Nem devia".*] Minha necessidade é tão avassaladora e o tempo, na minha obsessão, é tão curto —

É muito provável que ao lembrar-me disso, um dia, eu ache muita graça. Assim como houve um tempo em que eu era religiosa de um modo neurótico e aterrorizado e achava que um dia seria católica, agora acho que tenho tendências lésbicas (com que relutância escrevo isto) —

Não devo pensar no sistema solar — nas incontáveis galáxias dispersas por incontáveis anos-luz — em espaços infinitos — não devo olhar para o céu por mais do que um momento — não devo pensar na morte, na eternidade — não devo fazer todas essas coisas, para que eu não conheça esses momentos horríveis em que minha mente parece uma coisa tangível — mais do que a minha mente — todo o meu espírito — tudo aquilo que me anima e que é o desejo original e reativo que constitui o meu "eu" — tudo isso toma uma forma e um tamanho definidos — grande demais para ficar contido na estrutura que chamo de meu corpo — Tudo isso puxa e empurra — anos e ansiedades (agora eu sinto) até que eu consiga cerrar meus punhos — levanto-me — quem consegue ficar parado — todos os músculos estão sob pressão — lutando para se tornar uma imensidão — tenho vontade de gritar — minha barriga se sente comprimida — minhas pernas, meus pés, meus dedos dos pés se esticam até doer.

Chego cada vez mais perto de romper esta pobre casca — agora eu sei — contemplação do infinito — a tensão da minha mente me leva a diluir o horror por meio do oposto da simples sensualidade da abstração. *E sabendo que não possuo a saída, algum demônio, entretanto, me atormenta — me enche de dor e de fúria — de medo e tremor (sou agredida, destruída — sobretudo humilhada —) minha mente dominada por espasmos de desejo incontrolável —*

31/12/48

Li de novo estes cadernos. Como são tristes e monótonos! Será que nunca vou conseguir escapar dessa interminável lamentação de mim mesma? Todo o meu ser parece tenso — na expectativa...

1949

25/1/49

Vou passar o semestre na Universidade da Califórnia, se conseguir vaga num alojamento.

11/2/49

[*SS escreve pouco antes de sair de casa em Los Angeles, por causa da sua decisão de cursar a universidade em Berkeley.*]

... Emocionalmente, eu queria ficar. Intelectualmente, eu queria partir. Como sempre, pareço gostar de castigar a mim mesma.

19/2/49

[*SS chegou à Califórnia, Universidade de Califórnia, em Berkeley; acabou de fazer dezesseis anos.*]

Bem, aqui estou.

Não é nem um pouco diferente; parece que a questão, para mim, nunca foi a de encontrar um ambiente mais aprazível, mas sim encontrar a mim mesma — encontrar a autoestima e a integridade pessoal.

Não sou mais feliz agora do que era em casa...

... Quero escrever — *quero viver numa atmosfera intelectual* — quero viver num centro cultural onde possa ouvir muita música — tudo isso e muito mais, no entanto... o importante é que parece não haver nenhuma profissão mais adequada às minhas necessidades do que dar aula em uma universidade... [*Por cima do comentário sobre lecionar, SS mais tarde rabiscou: "Jesus!".*]

1º/3/49

Hoje comprei *Ponto e contraponto* e li sem parar durante seis horas para terminar o livro. A prosa de [Aldous] Huxley é tão deliciosamente segura — suas observações são de uma precisão esplêndida, se a gente aprecia a hábil exposição do vazio de nossa civilização — mas achei o livro muito instigante — um tributo à minha embrionária capacidade crítica. Eu me deliciei, apesar da inevitável depressão que sucede à leitura do livro, simplesmente por ter sido estimulada, de uma forma tão engenhosa, a um grau de pura agitação!

O virtuosismo me impressiona mais do que qualquer outra coisa neste momento da vida — técnica, organização, exuberância verbal me atraem da maneira mais vigorosa. O comentário cruelmente realista (Huxley, Rochefoucauld) — a caricatura escarninha ou a exposição filosófica extensa e sensual de Thomas Mann em *Der Zauberberg* e [*Der*] *Tod in Venedig* [*A montanha mágica* e *A morte em Veneza*]... Muito estreito da minha parte...

> "O problema para mim é transformar um ceticismo intelectual distanciado numa forma de vida harmoniosa e abrangente."
>
> *Ponto e contraponto*

2/4/49

Estou apaixonada por estar apaixonada! — o que quer que eu pense de Irene [*Lyons, amante de Harriet, se torna amante de SS e tem um papel importante nos diários entre 1957 e 1963*], quando não a vejo — qualquer que seja a repressão intelectual que sou capaz de imaginar que me domina — desaparece com a dor + frustração que sinto na sua presença. Não é fácil ser rejeitada tão completamente...

6/4/49

Não consegui escrever isto até ter alcançado certa distância temporal + psíquica...

O que sei é muito feio — e tão insuportável porque não pode ser comunicado — eu tentei! Quis reagir! Quis tanto sentir uma atração física por ele e provar que pelo menos sou bissexual — [*Na margem, com data de 31 de maio, SS acrescentou: "Que ideia estúpida! 'pelo menos bissexual'".*]

... Nada, a não ser humilhação e degradação, com a ideia de relações físicas com um homem — A primeira vez que o beijei — um beijo muito comprido — pensei de modo bem claro: "Isto é tudo? É tão tolo" — Eu tentei! Tentei mesmo — mas agora sei que nunca poderia acontecer — quero esconder — Ah, e ainda compliquei tanto a vida do Pete...

O nome dele é James Rowland Lucas — Jim — era sexta-feira à noite, 11 de março — a noite em que planejei ver um concerto de Mozart em San Francisco.

O que vou fazer? [*Em outro "comentário" posterior, dessa vez sem data, SS acrescentou: "Curtir a vida, é claro".*]

[*Seguramente escrito em abril de 1949, mas sem data no caderno.*]

Passar um final de semana em casa foi uma experiência divertida. Senti em mim uma nova emancipação emocional daquilo que eu — intelectualmente — acho falho — acho que enfim estou livre da minha dependência da afeição de mamãe — ela não despertou nada em mim, nem mesmo piedade — só tédio — A casa nunca me pareceu tão pequena, todos nunca me pareceram tão intrinsecamente maçantes e banais, e a minha própria vitalidade era opressiva — Aqui, pelo menos [*i.e., em Berkeley*], na solidão sem disfarces, inventei alguns prazeres e compensações — na música, nos livros e em ler poesia em voz alta. Não preciso fingir para ninguém; uso o meu tempo como eu quero — Em casa, há sempre os fingimentos e os rituais de amabilidade — a apavorante perda de tempo — tenho de tratar meu tempo com cuidado neste verão, pois há muita coisa para ser feita —

Se eu não for aceita em Chicago [*depois de um ano na Universidade da Califórnia, em Berkeley, SS pediu transferência para a Universidade de Chicago*], e, em consequência, fizer planos de voltar para a Califórnia no inverno, terei de ficar aqui durante o primeiro período letivo do verão. Do contrário, terei de fazer esses cursos na UCLA, no período letivo de oito semanas.

Tenho de reservar o horário das duas às cinco, todos os dias, para escrever e estudar ao ar livre, no sol, e todo o tempo que eu conseguir arranjar à noite — vou ser tranquila, cordial e desembaraçada!

8/4/49

Esta tarde assisti a uma palestra sobre "A função da arte e do artista", por Anaïs Nin: ela é muito impressionante, parece um duende, alguém do outro mundo — pequena, de traços bonitos, cabelos escuros, e muita maquiagem, o que lhe deu um aspecto muito pálido — olhos grandes, questionadores — um sotaque marcado que não consegui classificar — sua fala é ultraprecisa — ela lustra e dá brilho em cada sílaba com a pontinha da língua e dos dentes — a gente sente que, se pudesse tocá-la, ela iria se desmanchar em pó prateado. [*Na margem, SS escreveu mais tarde: "Harriet estava lá".*]

A sua teoria da arte era precisamente intangível (descoberta do inconsciente, escrita automática, revolta contra a nossa civilização mecanicista) — Ela foi analisada por Otto Rank.

14/4/49

Li *No bosque da noite* [*de Djuna Barnes*] ontem — Que prosa esplêndida ela escreve — É assim que eu quero escrever — elaborada e rítmica — uma prosa densa, sonora, que combina com as ambiguidades míticas que são fonte e também estrutura de uma experiência estética simbolizada por meio da língua —

16/4/49

Li a maior parte de *Os irmãos Karamázov* [de Dostoiévski] e de repente me sinto freneticamente impura. Escrevo três cartas para Peter e Audrey rompendo totalmente essas relações e para a mamãe, declarando, mais ou menos, a minha repulsa pelo passado —

Ah, houve a Irene também —
Ela é correta e admirável, para ser honesta —

E pensar que eu havia me persuadido a ter afeição por Peter, porque eu estava tão solitária e não conseguia acreditar que ia arranjar nada melhor do que ele! E toda essa confusão com Audrey — Puxa vida, se a Irene conseguisse ser honesta e me rejeitasse — eu poderia (pela primeira vez) ser sincera comigo mesma —

[*Na capa interna do caderno, com data de 7/5/49 – 31/5/49, SS escreve em letras maiúsculas: "EU RENASCI DURANTE O TEMPO RECONTADO NESTE CADERNO".*]

17/5/49

Hoje terminei *Demian* [de Hermann Hesse] e fiquei, de modo geral, muito decepcionada. O livro tem passagens muito boas e os primeiros capítulos que descrevem o início da adolescência de Sinclair são muito bons... mas o supernaturalismo direto da parte final do livro é um choque, pelos padrões realistas implícitos na parte inicial do livro. Não é ao tom romântico que faço objeção (adorei [*Os sofrimentos do jovem*] *Werther*, de Goethe, por exemplo), mas sim à infantilidade de pensamento (não posso me exprimir de outro modo) de Hesse...

Estou começando [*Linhas básicas para*] *Uma teoria do conhecimento na cosmovisão de Goethe*, de Rudolf Steiner. Tenho a impressão de estar acompanhando o pensamento sem esforço, portanto desconfio duas vezes mais de mim mesma e leio muito devagar...

Também nas últimas semanas (será que já anotei isto aqui?), li a parte I de *Fausto* [de Goethe, em tradução] de Bayard Taylor, o [*Doutor*] *Fausto* de [Christopher] Marlowe e o romance de Mann —

Fiquei muito comovida com Goethe, embora eu ache que estou longe de compreendê-lo — Marlowe é como se fosse ideia *minha* — pois dediquei muito tempo a ele, reli várias vezes e declamei muitas passagens em voz alta seguidas vezes. O solilóquio final de Fausto, eu li em voz alta uma dúzia de vezes na semana passada. É incomparável...

Em algum lugar, num caderno anterior, confessei uma decepção com [*Doutor*] *Fausto* de Mann... Isso era uma prova singularmente manifesta da qualidade da minha sensibilidade crítica! É uma obra notável e gratificante, que eu terei de ler muitas vezes, antes de dominá-la...

Estou relendo trechos de coisas que sempre foram importantes para mim e fico admirada com minhas apreciações. Um bocado de [Gerard Manley] Hopkins ontem, e não fiquei tão empolgada como ficava sempre — senti em especial uma decepção nos poemas "O eco de bronze" [e] "O eco de ouro" —

É tão bom ler em *voz alta* — também estou re-relendo (com um prazer constante) Dante e [T.S.] Eliot (é claro)...

Neste verão, quero me concentrar em Aristóteles, Yeats, Hardy e Henry James...

18/5/49

Será que algum dia vou conseguir aprender com a minha própria burrice? Hoje assisti a uma palestra-recital sobre os monólogos dramáticos de Browning... Como fui sempre ignorante e esnobe a respeito de Browning! — Mais um autor para eu trabalhar neste verão...

23/5/49

[*Esta entrada, que se estende por quase trinta páginas, pretendia recapitular todo um período da vida de SS em Berkeley, terminava com seu encontro com Harriet e, por intermédio dela, SS passava a participar da vida gay em San Francisco.*]

Este fim de semana foi uma síntese esplendidamente construída e também, eu creio, uma resolução parcial da minha maior infelicidade: a angustiada dicotomia entre o corpo e a mente que me atormentou nos últimos dois anos: é, talvez, o período mais importante — (importante para o que quer que eu venha a ser como uma pessoa no seu todo) — que já vivi.

Na noite de sexta-feira, fui com o Al [*SS anota: Allan Cox*] assistir a uma palestra de George Boas, um professor visitante de filosofia da Johns Hopkins, intitulada "O sentido nas artes". Foi uma palestra rala e feita para entreter, expondo as falhas das principais escolas da crítica desde Aristóteles, inclusive, mas sem construir, por sua vez, nada de muito tangível — apenas aquela percepção espirituosa e estéril das várias formas do erro. Diversas coisas interessantes: falou da evolução da arte em termos de uma flutuação entre *ritual* e *improvisação* — uma atraente reformulação da surrada antítese clássicos versus românticos... Um dos seus disparos foi dirigido aos críticos aristotélicos que se recusam a compreender o fato de que Aristóteles nada sabia a respeito de Shakespeare e, portanto, não podem entender como *Hamlet* consegue ser uma tragédia (tragédia genuína = delimitações de Aristóteles), mas emocionalmente sabem que é, ou pelo menos fingem que, de algum modo secreto, a peça é de fato uma tragédia nos termos de Aristóteles...

O próprio Al, e meu relacionamento com ele, personifica de fato todo o meu desejo de me retirar para o intelecto, todos os meus temores e inibições relativos à vida. Ele tem vinte e dois anos, foi da marinha mercante — não entrou no exército porque tem uma deficiência visual para as cores — extremamente bonito no sentido clássico — alto, cabelo castanho e ondulado, traços perfeitos, exceto pelas narinas muito dilatadas — mãos lindas... Vem de uma cidade pequena (Santa Ana), onde morou toda a vida, até vir para Berkeley aos dezoito anos para cursar a Universidade da Califórnia, e teve a carreira de estudante universitário interrompida pelos três anos que passou no mar. Em termos universitários, ele está no início dos estudos, é entendido em química, embora seus interesses principais sejam a matemática e a literatura. Quer escrever, mas não se atreve porque tem medo de que fique muito ruim — e na certa ficaria mesmo. É muito bom em matemática e, se conseguisse concentrar sua autoconfiança, tentaria se insinuar no campo da filosofia por meio dos seus estudos. Tem formação luterana alemã — tem uma mente de fato medieval: sua humildade assombrosa e sua noção de pecado, seu amor pelo conhecimento e pela *abstração*, sua total subordinação do corpo àquilo que ele julga importante: a mente. Num encontro recente, me confessou que tinha passado o dia inteiro sem comer só para se disciplinar. Creio que tem uma mente muito *capaz* — um dos melhores intelectos com que já entrei em contato — Embora seja absurdo imaginar que seja virgem, mesmo assim tenho certeza de que ele é inteiramente casto e se sente culpadíssimo pelas raras vezes em que cai em pecado...

Eu o conheci quase no início do semestre, quando reparei nele num concerto que estava sendo gravado (*Don Giovanni* completo), e me dei conta de que era um garçom aqui nos dormitórios. A gente teve uma conversa ligeira, se encontrou de novo em vários concertos e, então, depois de semanas de olhares lânguidos e de lábios tensos, ele conseguiu tomar coragem de me convidar para ir a um concerto com ele (o *Magnificat* [de Bach] na igreja congregacional local). — Desde então, as poucas atividades culturais a que assisti foram com ele, e só por estar com outra pessoa, por mais sem sangue que seja esse relacionamento, eu desviei minha cabeça do humilhante desfecho do meu relacionamento com Irene. Nunca me senti fisicamente atraída por Al e fiquei à vontade com ele por dois motivos: eu respeitava genuinamente sua inteligência, queria aprender com ele, discutir música, literatura e filosofia com ele; eu também sabia que Al ia levar semanas para tomar alguma iniciativa física e, naquele momento do futuro, seria simples me revelar. Até agora nós nem seguramos a mão um do outro! Eu *de fato* me sentia bem com ele — embora não afirmativa e com vivacidade. O *horrível* foi que, naquela noite de sexta-feira, eu quase me convenci de que a satisfação intelectual que sentia com ele — que era apenas uma ausência de dor — era boa, e era o melhor tipo de satisfação que existia — Depois de Boas, ficamos uma hora numa mesa de um café e depois, andando, conversamos durante mais duas ou três horas.

Tratamos de tudo, desde cantatas de Bach até *Fausto*, de Mann, o pragmatismo, as funções hiperbólicas, a Escola para Trabalhadores da Universidade da Califórnia, a teoria do espaço curvo de Einstein. O mais fascinante era a filosofia da matemática. Naquela hora, eu compartilhei de verdade a sua humildade e a sua compreensão relaxada da vida — ele não tem medo de morrer, simplesmente porque sabe como é sem importância a sua vida, a vida humana — Nós dois falamos de maneira brilhante e tudo me parecia muito claro, porque, naquela hora, eu havia rejeitado mais coisas do que nunca: a totalidade da vagabundagem, da preguiça, do sol, do sexo, da comida, do sono, da música... Eu me senti muito confiante de que a minha decisão de lecionar na universidade estava correta, de que nada importava de fato a não ser experiências aceitáveis e digeríveis pela mente... Na verdade, naquela manhã, nada tinha muita importância, de fato. Naquela hora, eu tinha muito pouco medo de morrer... Dissemos que era preciso contar sempre com o pior, na vida — pois a vida era uma longa sordidez e mediocridade — que não se devia protestar, mas sim, embora assumindo as devidas responsabilidades sociais, retrair-se, não se envolver e, já prevendo o pior, talvez garantir para si alguns momentos de felicidade: não aceitar a vida "condicional-mente", foi o que eu disse... Agarrar o que puder — nada disso tinha importância de verdade... Eu acreditei nisso!... Eu me senti bem com isso... Irene me pareceu muito distante, também... Eu me senti numa autêntica paz quando me despedi dele na entrada dos dor-mitórios (com a nossa camaradagem estudada) e então fui para o primeiro andar para dormir...

Eu ainda podia derrotar a vida — a minha própria impetuo-sidade — eu ia renunciar a tudo — "resigna-os, designa-os, sela--os, liberta-o para Deus..." [*SS está citando, em parte parafraseando, um verso do poema em diálogo "O eco de bronze e o eco de ouro", de Gerard Manley Hopkins.*]

Sábado de manhã, como de costume, acordei às nove e meia para o curso "A era de Samuel Johnson", que eu faço como ouvinte, às dez horas. (Quando me inscrevi nos cursos como ouvinte no início do período letivo, reparei nesse curso, que era terça, quinta e sábado, às dez horas, mas, é claro, eu tenho aula de francês cinco vezes por semana às dez horas — Lá pelo meio do período letivo — fim de março — conversei com uma garota chamada Harriet que trabalhava no departamento de Permutas de Livros Didáticos do Campus — conversei com ela muito espontaneamente — (em geral, consigo falar assim na primeira vez que encontro alguém) — ela me contou que as aulas sobre Johnson eram muito boas e assim comecei a frequentar só aos sábados, e aproveitei bastante — ah, que concentração fanática nas trivialidades *assombrosas* do século xviii! — O professor, sr. Bronson, é um homem civilizadíssimo, tem um ar de T.S. Eliot — sotaque inglês, humor seco, voz baixa, se mexe devagar... (Ele acha que é simplesmente catastrófico o fato de as pessoas não gostarem de Boswell etc.)

... Harriet é bem alta — mais ou menos um metro e oitenta — não é bonita, mas é atraente — Tem um sorriso lindo e é, o que para mim ficou óbvio, no instante em que falei com ela — esplêndida, singularmente viva... depois que comecei a frequentar o curso sobre Johnson, costumava conversar com ela todo sábado depois da aula, e às vezes na livraria. Antes das férias ela me perguntou se eu não gostaria de ir com ela a uma "ceia étnica" no quarto de um de seus amigos... Acabou que o tal sujeito era um homossexual insuportável e grosseirão (do tipo sorridente)... A mãe dele tinha mandado umas caixas de *schmaltz* e *matzohs*! Os outros poucos boêmios de Berkeley ali presentes eram muito chatos e eu mesma me portei de modo muito sem graça — minha pose sarcástica- -esnobe-intelectual; e fiquei o tempo todo com uma atitude muito estudada... Naquela hora, Harriet me contou que as melhores pes- soas em San Francisco estavam nos bares e que um dia ia me levar com ela... Na última quinta-feira, dia 19, dei uma passada na livra- ria (comprei alguma poesia francesa) e ela repetiu o convite — eu, é claro, aceitei — e marcamos de sair naquele sábado à noite... Fui ao curso sobre Johnson, depois registrei na portaria do dormitório que eu ia ficar fora depois das duas e meia da madrugada — horário em que fecham os portões nos sábados. Depois da aula, ela sugeriu que eu fosse com ela no domingo para Sausalito, onde morava uma amiga dela, uma garota chamada A...

... Fiquei muito surpresa de ela me convidar para ir junto — ela mesma, é claro, imediatamente se arrependeu, mas quando lhe dei um fora, ela ainda assim repetiu o convite. Eu me despedi, ela foi para o trabalho, eu fui almoçar...

... Matei a tarde com uma montagem de estudantes bem mal- feita de três peças de um só ato no teatro da universidade e depois nos encontramos na livraria às cinco e meia. Fomos até o quarto dela e, enquanto ela punha uma calça Levi's, eu lia as primeiras páginas do seu exemplar de *Lobo da estepe* [de Hermann Hesse]... Fiquei esplendidamente à vontade com Harriet e no trem para San Francisco senti uma grande vontade de contar para ela o caso com Irene. Quando contei, me dei conta de que ela e o seu mundo eram o exato oposto de Irene e Al, com a pureza e o intelecto de ambos! Também lhe disse isso e a sua reação à história toda foi muito diferente de qualquer pensamento meu... Tive de rir, era tão absurdo! Ela disse que Irene era uma sacana — que quando ela me disse que eu era muito feia eu devia ter falado uma coisa bem obscena para que Irene descesse do seu pedestal sagrado — que ela era limitada e insensível e não tinha vida... de certo modo — só em parte, então — eu achei que Harriet tinha razão... Que eu não era horrorosa... E eu bem que precisava me livrar daquela consciência de ser uma pecadora... Fomos a um restaurante chinês para um jantar barato e que enchesse a barriga... Quando estávamos [terminando], A e o seu marido, B, entraram... nós quatro fomos a um bar chamado Mona's. Lá, a maioria dos clientes eram casais de lésbicas... a cantora era uma loura alta e linda num vestido de gala sem alça e, embora eu tivesse ficado admirada com a sua voz incrivelmente forte, Harriet — de um jeito sorridente — teve de me *revelar* que a cantora era um homem... Havia mais duas cantoras — uma mulher enorme — uma das pessoas mais gordas que eu já vi — ela se expandia em todas as direções sem parar — e um homem de estatura mediana — rosto italiano moreno — que, nessa altura, já um pouco mais observadora, eu percebi que era uma mulher...

O toca-discos automático estava tocando e A e B e, uma ou duas vezes, B e Harriet dançaram. Na primeira vez em que dancei com Harriet fiquei muito tensa e toda hora eu pisava nos pés dela... Na segunda vez foi muito mais fácil e comecei a me sentir muito bem mesmo...

Tomamos uma cerveja e depois, quando saímos, A e B nos deixaram — a gente ficou de se encontrar de novo lá pela meia--noite e meia num lugar chamado Paper Doll... Eram mais ou menos onze e meia... Primeiro, no entanto, Harriet quis ir a um bar mais embaixo na mesma rua chamado 12 Adler (Henri, o dono, usa uma boina) e, entre as muitas pessoas que ela conhecia lá, estava um velho safado de uns sessenta anos chamado Otto, que ela convidou para ficar com a gente porque, Harriet me explicou mais tarde, o velho sempre pagava a bebida. Fomos ao Paper Doll então e ficamos por lá até fechar, às duas horas... B e A chegaram à uma e quinze... Não havia nenhum espetáculo, só uma pianista medonha chamada Madeleine que insistia em martelar *e* cantar de tudo, desde "Parabéns pra você" até o resto! Ela parou quando eram quinze para as duas e eu dancei com Harriet de novo... Além de nós quatro e Otto, havia mais duas pessoas (separadas uma da outra) que vieram sentar com a gente — um jovem chamado John Dever, que pelo visto morava em cima do P. D., e uma garota linda — muito bem-vestida — chamada Roberta —

Havia diversas mulheres atraentes que serviam bebidas — todas vestidas de homem, como no Mona's — Otto cumpriu seu papel e pagou quatro rodadas de bebidas para todos nós... e para mim ele foi muito irritante — parecia que eu era o alvo naquela noite e ele não parava de falar, e eu nem estava escutando... Quando saímos, entendi que B ia ficar na cidade a noite inteira... Ele nos deixou e se esqueceu de dar para A as chaves do seu carro Modelo A, e quando A foi atrás dele, Harriet e eu ficamos sentadas no carro e nos demos as mãos... Ela estava muito bêbada e eu, embora tivesse entornado os drinques um depois do outro, estava totalmente sóbria, mas me sentia muito bem e normal...

O caminho da viagem para Sausalito passa pela ponte Golden Gate e, enquanto A e Harriet estavam sentadas perto de mim e se acariciando, eu olhava para a baía e me sentia aquecida e viva... Eu nunca havia compreendido de fato que *era* possível viver através do corpo, sem fazer afinal nenhuma dessas horrendas *dicotomias*!

... Harriet e eu fomos [por fim] dormir num beliche estreito nos fundos do Tin Angel...

Talvez eu estivesse embriagada, afinal, porque foi tão lindo quando Harriet começou a fazer amor comigo... Já passavam de quatro horas quando fomos para a cama — e ainda conversamos um pouco... Na primeira vez em que Harriet me beijou, eu ainda estava dura, mas dessa vez foi porque eu simplesmente não sabia como, não que eu não tenha gostado (como aconteceu com o Jim)... Ela fez alguma piada sobre o fato de o esmalte dos seus dentes terem ido embora — a gente conversou mais um pouco e, só quando fiquei inteiramente consciente de que eu a desejava, ela soube disso, também...

Tudo foi tão concentrado que chegou a doer no fundo do meu estômago, fui subjugada no atrito contra ela, o peso do seu corpo em cima do meu, as carícias da sua boca e das suas mãos...

Eu soube de tudo então, e ainda agora não esqueci...

... E o que sou agora, quando escrevo isto? Nada menos do que uma pessoa inteiramente diferente... A experiência desse fim de semana não poderia ter vindo em uma hora melhor — E *eu cheguei tão perto de me negar completamente*, de capitular por inteiro. Meu conceito de sexualidade está muito modificado — Graças a Deus! — a bissexualidade é a expressão da plenitude de um indivíduo —

uma honesta rejeição da — sim — perversão que limita a experiência sexual, tenta descorporificar a experiência sexual, em conceitos como a idealização da castidade, até que apareça a "pessoa certa" — toda a interdição da pura sensação física sem amor, *da promiscuidade...*

Agora conheço um pouco da minha capacidade... Sei o que quero fazer da minha vida, e tudo isso é tão simples, mas era tão difícil para mim saber no passado. Quero dormir com muitas pessoas — quero viver e ter ódio de morrer — *não vou* lecionar, nem fazer o mestrado depois da graduação... Não pretendo deixar que o meu intelecto me domine e a última coisa que quero é cultuar o conhecimento ou as pessoas que têm conhecimento! Não dou a mínima para o acúmulo de fatos de *ninguém*, exceto quando se tratar de uma reflexão sobre sensibilidade elementar, de que eu de fato preciso... Quero fazer tudo... ter um modo de avaliar a experiência — se me causa prazer ou dor, e tenho de ser muito cuidadosa quanto a rejeitar a dor — tenho de perceber a presença do prazer em toda parte e encontrá-lo também, pois ele *está* em toda parte! Quero me envolver completamente... *tudo é importante!* A única coisa a que renuncio é a capacidade de renunciar, de recuar: a aceitação da mesmice e do intelecto. Eu estou viva... eu sou linda... o que mais existe?

24/5/49

Acho que não é possível derrotar aquilo que agora eu sei... Temi uma recaída, mas mesmo forçada de volta à rotina ainda tenho a resposta da qual estava tão segura na esteira de um êxtase... Vejo Irene, tão óbvia no seu embaraço e na maneira como me evita... sua boca é tão fina... É de fato triste se dar conta de como ela é incompleta, como vai ser sempre infeliz... Não é que eu tenha deixado de amar Irene — acontece apenas que ela ficou totalmente diminuída, eclipsada pelo esplêndido alargamento do meu mundo, o que eu devo a Harriet... Tomei tão poucas decisões corretas, e a maioria delas por razões erradas... Minha carta para Irene, por exemplo, continha muita verdade, embora eu não tivesse em mente a interpretação verdadeira daquelas expressões imponentes...

Amar o corpo de alguém e usá-lo bem, isso é o básico... Posso fazer isso, eu sei, pois agora fui libertada...

25/5/49

Hoje me veio uma ideia — tão óbvia, sempre tão óbvia! Foi absurdo compreender isso de repente pela primeira vez — me senti bastante tonta, um pouco histérica: — Não há nada, nada que me impeça de fazer *qualquer coisa*, a não ser eu mesma... O que é que me impede de fazer as malas e ir embora? Apenas as pressões *auto*impostas do meu ambiente, mas que sempre pareceram tão onipotentes que eu nunca me atrevi a pensar em ir contra elas... Mas, na verdade, o que é que me detém? Um medo da minha família — mamãe, sobretudo? Um apego à segurança e aos bens materiais? Sim, há as duas coisas, mas só aquelas coisas que me detêm... O que é a faculdade? Não posso aprender nada, pois aquilo que quero saber eu posso acumular por minha própria conta, e já fiz isso, e o resto vai ser sempre trabalho maçante... Faculdade é segurança, porque é a coisa fácil, segura, para se fazer... Quanto à mamãe, com franqueza, eu não me importo — simplesmente não quero mais vê-la — O amor dos bens materiais — livros e discos — essas são duas opressões que foram muito fortes em mim nos últimos anos, todavia, aquilo que me impede de colocar meus escritos, meus cadernos e alguns livros dentro de uma caixa pequena, enviá-la para um depósito em outra cidade, pegar umas blusas e a minha calça Levi's, embrulhar outro par de meias e meter uns dólares dentro do bolso do casaco, sair desta casa — depois de deixar um bilhete devidamente byroniano dirigido ao mundo — e tomar um ônibus — para qualquer lugar? — Claro, eu seria apanhada pela polícia logo depois e enviada de volta para o seio da minha desolada família, mas quando eu for embora de novo um dia depois de ter sido mandada de volta para casa, e quando fizer o mesmo se for mandada para casa pela segunda vez, eles vão me deixar em paz — *eu posso fazer qualquer coisa!* Então vamos fazer um trato comigo mesma — se eu não for aceita em Chicago, vou embora exatamente desse jeito no verão. Se eu for aceita, então vou experimentar durante o próximo ano, e se eu ficar insatisfeita em qualquer aspecto — se em algum sentido eu sentir que a maior parte de mim não está sendo aproveitada lá, então eu vou embora — Meu Deus, viver é uma coisa enorme!

26/5/49

Com meus olhos novos eu reavalio a vida à minha volta. De modo muito particular, fico assustada ao me dar conta de que cheguei muito perto de me deixar escorregar para a vida acadêmica. Não exigiria nenhum esforço... era só continuar tirando notas boas — (pelo jeito eu ia ficar na área de inglês — simplesmente não tenho competência em matemática para seguir filosofia) — ia fazer o mestrado e ser professora-assistente, ia escrever alguns artigos sobre assuntos obscuros com os quais ninguém se importa e, aos sessenta anos, seria uma professora completa, feia e respeitada. Ora, hoje eu estava dando uma olhada nas publicações do Departamento de Inglês na biblioteca — monografias extensas (centenas de páginas) sobre assuntos como: O uso de "*tu*" e "*vous*" em Voltaire; A crítica social em Fenimore Cooper; Uma bibliografia dos textos de Bret Harte em revistas e jornais da Califórnia (1859-91)...

Meu Deus! A que foi que eu quase me sujeitei?

27/5/49

Uma certa regressão — confusão — hoje, mas o fato de eu conseguir identificar isso pelo menos já é bom... medo, medo... Foi Irene, é claro: como ela é infantil, mas como eu sou imperdoavelmente imatura! Tudo correu bem enquanto senti que ela havia me rejeitado por completo... depois, na noite passada, pouco antes de eu sair para uma aula de filosofia, ela me procurou e disse que tinha afinal tomado a decisão (!) de que um dia ela gostaria de me conhecer...

28/5/49

FUI ACEITA EM CHICAGO COM UMA BOLSA DE 765 DÓLARES

A abriu o Tin Angel na noite passada e Harriet me convidou para ir lá. Até eu ficar embriagada, achei tudo muito deprimente — Harriet ficou logo alta e passou a noite toda histericamente gentil com todas as mulheres com quem tinha dormido no ano passado (e que agora ela detestava): todas pareciam ter se reunido lá... A antiga namorada de Mary também estava, com um ar muito chateado... B e A ficaram muito embriagados, é claro, e quebraram

46

uma janela... Posso imaginar o que devem estar falando nesta manhã!... depois de um milhão de outras pessoas, Harriet ficou me acariciando, o que, para dizer de modo suave, foi muito divertido... Aí apareceu um pentelho (Harriet ficou berrando para o salão inteiro: "Ela tem só dezesseis — não é legal? E eu sou a primeira amante dela"), que quis me "salvar"... Harriet me empurrou para cima dele ("Vá ter um pouco de experiência heterossexual, Sue") e antes que eu percebesse, nós estávamos dançando, nos acariciando... [*Na margem, SS anota: "Tim Young".*] Ele me disse uma coisa muito bonita que, eu acho, era sincera, mas quando me perguntou se eu acreditava em Deus, eu devia ter cuspido nos olhos dele... Mas não fiz nada disso, azar, dei para ele o meu telefone — era o único jeito de ele me deixar em paz — e voltei para a frente [do bar]. Eu me vi sentada com três mulheres: uma chamada C, uma advogada, por volta de trinta e quatro anos, "*distinguée*", como Harriet não cansava de repetir, nascida e criada na Califórnia, que tinha um falso sotaque britânico que de vez em quando se tornava perceptível e depois era engolido de volta no seu inconsciente, e um carro Crosley... Harriet me contou que morou com ela durante dois meses, até que C comprou um revólver e ameaçou dar um tiro nas duas... As outras duas mulheres eram um casal, Florence e Roma... Harriet tinha tido um caso com Florence... A certa altura, C começou a rir e perguntou se a gente percebia como aquilo tudo era uma paródia de *No bosque da noite*... Era isso mesmo, é claro, e eu, achando muita graça, tinha pensado nisso muitas vezes antes...

[*Numa página em branco no meio deste relato, SS escreve: "Ler Moll Flanders".*]

30/5/49

Por mais fora de moda e juvenil que possa parecer, não consigo resistir à tentação de copiar algumas quadras de *Rubaiyat* [de Omar Khayyam], porque exprimem de forma perfeita a minha exultação emocional de agora...

Também estou relendo Lucrécio, que copiei no caderno 4 — "A vida continua a viver... São os vivos, os vivos, os vivos que morrem."

É bom para mim reler periodicamente os cadernos que antecederam este — anoto isto, escrito no dia de Natal passado: E sabendo que não possuo a saída, algum demônio, entretanto, me atormenta — me enche de dor e de fúria — de medo e tremor (sou agredida, destruída — sobretudo humilhada —) minha mente dominada por espasmos de desejo incontrolável —

Desde então, avancei muito — aprendi a "me soltar" — a apreender um momento de modo mais pleno, mais amplo — a aceitar o meu eu, sim, regozijar-me no meu eu —

A coisa de fato importante é não rejeitar nada — Quando penso em como hesitei de verdade em vir para a universidade da Califórnia! Que cheguei a pensar a sério em não aceitar essa experiência nova! Como teria sido desastroso (se bem que eu nunca iria saber!) —

Quando eu chegar a Chicago vou saber de fato o que vou fazer lá — vou começar logo saindo e correndo atrás da experiência, não vou esperar que ela venha a mim — agora posso fazer isso porque a Grande Muralha tombou — *o sentimento de inviolabilidade a res-*

peito do meu corpo — sempre fui cheia de volúpia — como estou agora — mas vivi pondo obstáculos conceituais no meu próprio caminho... Em segredo, sempre me dei conta de que minha impetuosidade é ilimitada, mas nenhuma saída parecia adequada ou própria o bastante —

Agora conheço a capacidade de experimentar o maior dos prazeres apenas fisicamente, *sans* "companheirismo mental" etc., embora, é claro, isso também seja algo desejável...

Irene chegou bem perto de estragar a minha vida — cristalizando a culpa incipiente que sempre senti do meu lesbianismo — me tornando feia para mim mesma —

Agora eu conheço a verdade — sei como é bom e correto amar — em alguma medida, obtive permissão para viver —

Tudo começa a partir de agora — *eu estou renascida*

4/6/49

Concerto para Piano de Chostakóvitch
Prelúdios de Scriábin
Sinfonia em Ré Menor de Franck
Sinfonia Número 5 de Prokófiev

Missa em Si Menor [de Bach]

Sexo com música! Tão intelectual!!

6/6/49

Fui a Sausalito na noite de sábado com Harriet... A menos que eu possa beber, eu me sinto completamente oca e sem graça lá... A e Harriet ficaram juntas o tempo todo... um monte de pessoas feias bebendo e ficando mais feias ainda, entre elas D... Lá pelas dez e meia, ela e eu fomos juntas para San Francisco e eu fiquei bêbada para valer, como nunca antes... Eu não podia aguentar ficar nem mais um momento no Tin Angel e eu sabia que Harriet não se importava com o que eu fizesse... Primeiro fomos ao 299, casa de D, depois ao Adler 12, onde encontramos Bruce Boyd, e fomos com ele a um bar homossexual chamado Red Lizard, que era algo estritamente saído de uma Noite das Bruxas, e depois, é claro, terminamos no P. D. ... D falou sem parar... ela se sente "má"... "Sou da Nova Inglaterra"

D (Ogunquit, Maine.)

"Quando eu tinha dezessete anos queria descobrir o que era o sexo e então fui a um bar e saí com um marinheiro (tinha o cabelo vermelho) e fui estuprada, com tudo a que tinha direito... Meu Deus! Fiquei semanas sem conseguir sentar! E fiquei com muito medo de ficar grávida..."

marijuana

numa casa de saúde por um tempo

"colapso nervoso"

resultado da medida — "você não sabe, você é jovem, você ainda está na escola" —

temporada numa companhia de teatro de verão como diretora de produção — Tin Angel — Marinha? — um emprego na televisão em Nova York no outono

[...]

"Não contei nenhuma mentira para você — Harriet — ela me deixa fascinada"

Voltamos para a casa dela, um quarto no "Hotel Lincoln" — do outro da lado da rua em frente ao Tin Angel — caí na cama e dormi. Na tarde seguinte ela disse que agora "estava arrependida por causa da oportunidade perdida na noite passada..."

Me sinto mais deprimida, mais vazia do que nunca

Homossexual = gay
Heterossexual = *jam* [Costa Oeste], *straight* [Leste]

[*Inserido na página*]

Harriet.
a/c de sr. Benjamin
Rua 69 Oeste 305
Nova York 23

11/6/49

Harriet partiu ontem para Nova York... Fiquei um bocado de tempo com Irene na semana passada. Puxa, como ela tem problemas! Fiquei surpresa de ver como ela é honesta comigo... tantos pensamentos e tanta conversa!...O que as pessoas fazem com a própria vida, e *eu não quero me apaixonar por gente limitadora*... Irene não sabe como lidar consigo mesma e com as suas demandas acerca de si mesma... Falou da "mediocridade" da sua vida pregressa — não tirou boas notas etc. — um caso que teve com um rapaz que há pouco tempo ela soube que ia casar... muita gente traiu Irene...

13/6/49

Quero pensar melhor nas coisas e recapitular esses cinco meses, pois daqui a quatro dias eu vou voltar para Los Angeles [*i.e., para a casa da mãe e do padrasto*]... ter ficado com Irene por tanto tempo nos últimos dias me perturbou um pouco... é tão natural deixar que a minha solidão me derrote, me adaptar a qualquer coisa que (em certo sentido — mas não inteiramente) me trouxesse alívio. *Eu sou infinita* — nunca devo esquecer isso... Quero sensualidade e sensibilidade, as duas coisas... fui mais viva e mais satisfeita com Harriet do que jamais fui com qualquer outra pessoa... Não posso negar isso nunca... Quero passear pelo campo da violência e do excesso, em vez de deixar de aproveitar cada momento até o fim...

19/6/49

... Como se nunca tivesse acontecido —

No entanto o passado não é mais passado porque ficou delimitado numa área geográfica específica, da qual a pessoa agora está inexoravelmente afastada, do que se tivesse transcorrido todo no mesmo lugar...

Mas mesmo assim, este vazio infeliz — como se eu nunca tivesse vivido longe daqui, como se os últimos cinco meses nunca tivessem existido, como se eu nunca tivesse conhecido Irene e me apaixonado por ela, como se eu não tivesse descoberto o sexo de Harriet, como se nunca tivesse descoberto a mim mesma (e descobri?) — como se nunca tivesse acontecido...

26/6/49

O tempo passa tão devagar quando existe um elemento de estranheza, de novidade, no ambiente da gente... Foi assim durante minhas primeiras semanas na Universidade da Califórnia, e de novo nesta última semana — minha primeira semana em casa — foi interminável —

[*Sem data, provavelmente no início de julho de 1949*]

Sem aulas para ouvintes na UCLA na temporada de verão — frequentei quatro dias até ser expulsa — Em todo caso, os cursos (com uma exceção: Filosofia de Meyerhoff 21) prometiam ser medíocres —

Agora tenho um cartão do Seguro Social (573-40-3268) e um emprego como secretária de arquivo na Republic Indemnity Co. of America — escritório de Bob — 125 dólares por mês, cinco dias por semana, começo na segunda-feira —

Estou lendo *A decadência do Ocidente* [de Oswald Spengler]...
mundo de Goethe. Concepção, outra vez... a Fábrica Universal. É
muito bonito —

Um pouco de Goethe citado por Spengler:

"O importante na vida é a vida e não o resultado da vida."

"Humanidade? É uma abstração. Existem, sempre existiram e sempre vão existir, homens e apenas homens." (para Luden)
...
"Função, devidamente entendida, é existência considerada como
uma atividade."

[*Sem data, provavelmente meados ou final de julho de 1949*]

... Ideia para um conto:

escritório de seguros

diretor de pessoal — Jack Trater — bissexual — infeliz, enve-
nenado pelo desprezo + sentimentos de superioridade — passou
uma cantada em Cliff — também repentina promoção de Scott, de
chefe dos arquivos (agora a vaga é de Jack Paris) para a subscrição
— e Jack Paris agora está na expectativa —

as promoções do escritório inteiro dependem da boa vontade
dele

Terror.

29/6/49

Ordem: Ler *Os novos frutos da terra*, de Gide.

De novo a antítese atormentada:

Míchkin:

Lema: "*stabo*" — ("Vou aguentar firme")

A "reverência à vida" de Albert Schweizer é, articulada de modo satisfatório, exatamente aquilo que eu sempre compreendi como a fascinante essência do mito cristão de Míchkin-Aliocha — amor + pacifismo —

Uma bandeira tão perfeita e tão acessível! Uma visão! Uma justificação e uma dignificação da dor que somos forçados a suportar de um jeito ou de outro

Medeia:

Lema: "*Wolle die Wandlung*" — Rilke ("Deseje toda mudança")

Aceitação da minha homossexualidade — uma vida sem raízes, frenética — fazer um drama da minha infelicidade, passada, presente e futura — atribuir-lhe um propósito — "ritmo, equilíbrio, unidade na diversidade, e um movimento cumulativo"

Keats:

"Não tenho certeza de nada, a não ser da santidade dos afetos do coração e da verdade da imaginação"

"Ah, antes uma vida de sensação que de pensamentos"

3/8/49

"A paixão paralisa o bom gosto"

Posso entender tudo. Seria tão fácil sucumbir:

Um emprego burocrático de dia — datilógrafa clerical guarda-livros assistente administrativa em Berlands

Bar de noite

Solidão — exige sexo

Qualquer pessoa aceitável do sexo certo, que não seja feia e vá amar + ser fiel a mim...

Gíria gay:

gay
"um rapaz gay"
"uma garota gay"
"os garotos gays"

straight [heterossexual] (Leste)
jam [heterossexual] (Oeste)
normal [heterossexual] (turista)

"ele é *straight*"
"ele é muito *jam*"

"eu levo uma vida *jam*"
"um amigo meu que é *jam*"
"estou sendo normal"

"*drag*" [travesti]
"estar *drag*"
"ir de *drag*"
"uma festa *drag*"

Gay:

"86", "ele me fez 86", "eu fui 86" (expulso [de um bar])
agir de modo "*swishy*", "esta noite eu fui *swishy*" (efeminado)
"*I'm fruit for —.*" (estou louco por —)
"*head*", "*john*" (banheiro)
T. S. (*tough shit*) [má sorte]
"*he's gay trade*" "*take it out in trade*" (transar só uma vez)
"*go commercial*", "*I'm going commercial*" (transar por dinheiro)
"*get a* (*have a*) *head on*" (ter uma ereção)
"*a chippie*" (mulher que transa só uma vez — só pelo sexo —
sem dinheiro)
"cair do telhado" (período menstrual)...

Patty: "*are you for real*" [você é real?], "*I'll do until the real
thing comes along*" [vou levando até que a coisa real apareça] real
= gay

"Baile real" negro todo ano na zona sul de Chicago — gente
do país inteiro — na época do Dia das Bruxas
Viagem de excursão negra pelo rio Hudson — gay — anual...

Gíria normal:

"*get a piece*"
"*get a piece of tail*" [pegar um bocado de rabo] (fazer sexo com uma mulher)

"*box*" [caixa] = vagina
"*have a box*" [pegar uma caixa] = comer uma mulher
("*quando é que você vai me deixar pegar essa caixa aí, doçura?*")...

Lorde Byron:

Manfred (paixão incestuosa pela irmã, Astarte)
Cain
Don Juan
(apaixonou-se pela meia-irmã, Augusta Leigh)

Santo Hugo — 17 de novembro
São Davi — santo padroeiro de Gales

[*O resto deste caderno é dedicado a minuciosas definições, comparações e ilustrações de diversas formas poéticas do verso pentâmetro jâmbico em estrofes de seis versos.*]

5/8/49

Com F na noite passada. Disse que *há um ano* ela + E pensaram que eu na certa era lésbica. "Sua única chance de ser normal [é] dar um basta neste exato momento. Nada de mulheres, nada de bares. Você sabe que vai ser a mesma coisa em Chicago — no dormitório, na faculdade, nos bares de gays... saia com dois homens ao mesmo tempo. Fique parada e deixe que eles sintam você + tenham seus pequenos prazeres. No início, você não vai gostar, mas se obrigue a fazer isso... é a sua única chance. E durante esse tempo não saia com nenhuma mulher. Se você não parar agora..."

Primeiro movimento do Concerto para Piano em Ré Menor de Bach
Primeiro movimento do Concerto para Violino em Mi Maior de Bach
Segundo movimento da Sinfonia Concertante de Mozart
Segundo movimento do Trio [para Piano] opus 70 de Beethoven

[*Sem data, agosto de 1949*]

San Francisco: Mona's, Finocchio's, Paper Doll, The Black Cat, The Red Lizzard, 12 Adler

Nova York: Club 181 — Segunda avenida, 19, Hole — Jimmy Kelly's, Moroccan Village, San Remo's, Tony Pator's, Terry's, Mona's

Nomes de cores, bichos

Sugestão de um clube gay: Beach House; hotel — alugar um quarto, a qualquer hora; bar — um drinque por vinte centavos; restaurante; duas piscinas

Perto da praia

Livros para comprar:

Henry James: *Caderno[s]*, *Os embaixadores*, *Os bostonianos*, *Contos*, *Casamassima princess*, *Asas da pomba*
Dostoiévski: *O idiota, O adolescente, Contos*
Conrad: *Portable*
Rilke: *Cartas a um jovem poeta*
Hesse: *O lobo da estepe*
Fielding: *Joseph Andrews, Tom Jones*
Defoe: *Moll Flanders*
Gide: *Novos frutos da terra*
S. Eddington: *The nature of the physical world* (Macmillan - 1929)
H. O. Taylor: *The medieval mind*
Dewey: *Art as experience*
[Hart] Crane: [*Collected*] *Poems*
[Ernst] Cassirer: *Ensaio sobre o homem, Linguagem + Mito*

17/8/49

O argumento de [M. E.] Gershezon em "Correspondência entre dois extremos" exprime exatamente aquilo que eu, tolamente, furtivamente, encabuladamente, senti no ano passado; no entanto ainda é uma conclusão sub-real, irrealizável, que na certa vai permanecer sempre como uma potencialidade semiparalisante.

Assim, num outro reflexo, eu me sinto uma estrangeira.

Ich bin allein ["Eu estou sozinha."]

Reler *A fera na selva*. Uma experiência absolutamente aterradora. Não consigo dissipar a enorme depressão em que o livro me deixou.

20/8/49

Li *Os moedeiros falsos* [de André Gide]. Fiquei fascinada, mas não comovida. Lembro um pesadelo de infância de uma imagem refletida infinitamente — uma figura que segura um espelho parada na frente de outro espelho, ad infinitum.

Isto: um romance de Gide intitulado *Os moedeiros falsos* focaliza um breve intervalo cronológico na vida de um homem chamado Edouard, que planeja escrever um livro chamado *Os moedeiros falsos*, mas que agora está ocupado em fazer um diário da sua vida enquanto sua vida é animada pela *ideia* de escrever esse livro (assim como Hopkins vê o naufrágio do *Deutschland* através de uma gota do sangue de Cristo) — e ele acha que esse diário vai ficar mais interessante do que o livro proposto, e assim ele agora faz planos de publicar o diário e nunca escrever o livro. Edouard é Gide, começa e termina *in media res*.

26/8/49

Observo com prazer o meu ingresso na fase anarquista-estética da minha juventude. Li em sequência na última semana: *A prática da crítica literária*, de [I. A.] Richards, *Darkness at noon*, de Koestler, e a conclusão de *Renascimento*, de [Walter] Pater. Estou de saco cheio de gente, de burrice, de mediocridade, de cruzadas e política...

e. e. cummings:

"*esqueceram a parte de baixo à medida que ficaram altos*"

30/8/49

Fui um primor de displicência na narração das minhas atividades não intelectuais (!) deste verão, até agora: o momento do seu desfecho. Não tomei plena consciência delas, senão quando contei para Peter a história toda, quando ele voltou na semana passada. Meu segundo caso — imagine!... No entanto, o único bem tangível que provavelmente consegui arrancar do verão é a minha intimidade com E, cuja inteligência eu respeito verdadeiramente. Como tudo isso foi diferente do regime severo que prescrevi para mim mesma antes de voltar de Berkeley. Não ia haver sexo nenhum no verão, pensei! E como Harriet e L são completamente antitéticas! Tudo *muito* humorístico!

Dei adeus para L esta noite. Sexo de novo, é claro. Descubro em mim mesma uma inextirpável e muito perigosa tendência para a ternura — sem base lógica, mesmo em oposição a toda a razão, admito que fiquei comovida com L, senti mais do que uma aceitação racional da satisfação física e egocêntrica que ela me proporcionou... Porém, quando penso no que Harriet teria feito se ela estivesse numa situação comparável! Embora eu admire a brutalidade e a arrogância, não posso desprezar inteiramente minha própria fraqueza...

31/8/49

p. 226 — *The way of all flesh* [de Samuel Butler] — a sra. Jupp usa a palavra "gay" para definir uma mulher promíscua —

"ela é gay"

"uma mulher gay"

1º/9/49

Meu desagrado intelectual com a passividade física de uma mulher numa relação heterossexual era, agora eu percebo, só uma tentativa de encontrar uma razão para não me sentir atraída por esse tipo de sexo... Pois depois de ser *"femme"* para Harriet e "machona" para L, recordo que tive mais satisfação física em ser "passiva", se bem que emocionalmente eu sou do tipo amante, não do tipo amada... (Meu Deus, como tudo isso é absurdo!!)

La Rochefoucauld (1613-80):

"Temos toda a energia suficiente para suportar a dor dos outros."

2/9/49

Parti de Los Angeles à uma e meia da tarde.
Impossível compreender...

3/9/49

No trem: Arizona, Novo México

Uma cor de conto de fadas no leito do rio seco — (muito largo [seis a nove metros] e um metro ou um metro e meio de profundidade) — areia lisa, com faixas de cor rosada, e nos penhascos em miniatura à margem do leito do rio há arbustos verde-prateados —

4/9/49

Cheguei a Chicago às sete e quinze da manhã.

Esta é a cidade mais feia que já vi: uma favela contínua... O centro — lixo espalhado, ruas estreitas, o barulho do trem nos viadutos, a perpétua escuridão e o cheiro, os velhos cambaleantes e esfarrapados, as galerias de mercadorias baratas, as espeluncas onde tiram fotocópias, os cinemas — *Amor numa colônia de nudismo — Tudo à mostra — A verdade nua — Sem cortes.*

Numa livraria na rua State. Folheei dois volumes de [Wilhelm] Stekel: *The homosexual neurosis* e *Bisexual love* — Ele acha que os seres humanos são naturalmente *bissexuais* — os gregos foram a única cultura que reconheceu isso...

5/9/49

Cheguei a Nova York às oito e quarenta e cinco da manhã.

8/9/49

Prestei minhas homenagens anuais ao tio Aaron e fui agraciada com 722 dólares para pagar o aluguel do meu quarto e a alimentação para este ano... Portanto, estou cem por cento segura financeiramente...

12/9/49

Três oásis num deserto de parentes e de chantagem moral:

Morte de um caixeiro-viajante [de Arthur Miller]
O diabo no corpo [filme baseado no romance de Raymond Radiguet]
A taça de prata [peça de Sean O'Casey]

[*SS inseriu no caderno os programas de teatro das peças de Miller e de O'Casey.*]

A peça de Arthur Miller foi muito forte — cenário excelente de Jo Mielziner, muito bem representada e dirigida — só que não é na verdade *escrita*...

O filme de Radiguet com Gérard Philipe é sensível em todos os aspectos se bem que não tem a estatura clássica de uma "Sinfonia pastoral"...

A peça de O'Casey teve uma montagem boa, mas positivamente poderia ser melhor... É uma obra intrigante, e não muito bem-acabada, eu acho, embora tenha momentos magníficos e o primeiro ato seja sempre comovente e belo... O simbólico segundo ato não se integra por completo com o realismo do primeiro... e a ingênua e franca piedade pelo herói nos dois últimos atos é um anticlímax depois das atitudes instigantemente complexas dos dois primeiros atos...

15/9/49

A louca de Chaillot. O mais lindo teatro a que assisti aqui. Um espetáculo puro, infinitamente delineado. Os passos, as mãos, os gestos dela! Sua precisão chegou a me causar dor com uma sem--gracice enfaticamente inversa...

Coleção grega no Met[ropolitan Museum of Art]:

Estátua de mármore de uma *Velha do mercado* — século II a.C. Inclinada para a frente, *olhando*, boca frouxa. [*Esta entrada é seguida por um desenho da estátua.*]

[*A entrada seguinte está riscada.*] Pensar nos dezesseis anos que passaram. [*SS só vai fazer dezessete anos em janeiro do ano seguinte.*] Um *bom* início. Podia ser melhor: mais erudição, seguramente, mas é insensato esperar muito mais maturidade emocional além do que já alcancei nesta altura... Tudo está a meu favor, minha emancipação prematura, minha [*A entrada termina aqui.*]

Até que ponto a homossexualidade é narcisismo?

Repulsa: Talvez Gide tenha razão: separação de amor e paixão (c.f. a introdução de *Os moedeiros falsos* da edição da M[odern] L[ibrary]).

(Eu leio com zelo, obediência, flexibilidade!...)

Marca-passos:

Cézanne:

Vaso de tulipas — 1890-4
(verdes)
Mont Sainte-Victoire — 1900
(azul, *branco*, amarelo, rosa)

Ainda o fascínio infantil com a minha caligrafia... E pensar que sempre tive esse potencial sensual reluzindo nos meus dedos!

27/9/49

... Como defender a experiência estética? Mais do que prazer, porque não se pode avaliar a obra de arte pela *quantidade* de prazer que proporciona — mas sim que *ela em si mesma* é melhor — Não, isso é ilógico...

... Como existem os exercícios mentais?

... Quartetos de Beethoven versus o teorema de Euclides

necessidade de ordem

[*Toda a vida, SS fez listas de palavras em que de vez em quando introduzia o nome de alguém ou um breve comentário. Esta entrada sem data, do outono de 1949, é representativa e mostra como esse hábito se tornou, bem cedo, quase instintivo para ela.*]

decadente
noctâmbulo
fervoroso
detumescência
desgrenhado
tão fascinante, tão cerebral
encharcado
intrigante
dignidade corruptalotófago
elegíaco
Meléagro
disponibilidade
com pintas iguais às de um leopardo
demótico
Harriette Wilson
garbure
satura
suculento
competente vulgaridade intelectual de Aldous Huxley
preciosidade do *Livro amarelo*
reservado
robusto
pedantismo + libertinagem
spleen [melancolia]
irreverência
azinheira
Klaxon

[*The*] *Rock pool* — Cyril Connoly, p. 213

"... então será que inconscientemente não tentamos todos preservar a plumagem com a qual as pessoas nos acharam atraentes pela primeira vez."

21/10/49

Voltei de Chicago, sem alegria, + para achar não só a prevista tristeza, como ainda por cima uma nova provação. De novo, minha falta de conhecimento prático me sujeitou a um autêntico martírio, + quase devastador. As últimas semanas foram vitalmente reveladoras da mesma forma como meu emprego de verão de um ano atrás. Aprendi então que não consigo aguentar um trabalho burocrático, + que eu não ia conseguir me virar sozinha depois do ensino médio, ler, *escrever* etc., e aguentar qualquer emprego que me desse dinheiro bastante para viver. (Eu supus de forma ingênua que era melhor fazer qualquer coisa insignificante do que uma coisa pseudointelectual, ou seja, lecionar — eu não me dei conta de como a gente pode ficar apática, *consumida*, pela atividade da maioria dos expedientes de trabalho.) Isso suprimiu metade das minhas aspirações de uma vida proletária, + a minha forma atual de existência física desfez a outra metade da minha ilusão!

J'accuse na noite passada. Mas a gente *só* sente o horror, o desespero, se já sabe!

(Uma ideia sobre a terrível poesia de Peter: Falta de técnica, como ele disse? Não. Falta de gosto. Não sinto nada a não ser desprezo pela sua personalidade, sua capacidade, + crenças!)

Himlaspelet: excepcionalmente madura *tecnicamente* (ou seja, sensualmente), ingênuo *eticamente* (espiritualmente); *Der Müde Tod* vulgar + ingênuo tecnicamente, madura eticamente. Qual dos dois eu preferiria ver de novo? *Himlaspelet*. Porque tem mais "arte"?

Minha relação com E se desfez —

É tão grande o vazio sem luta da vida dele...

Um tema novo, um mundo novo — a filosofia da história. Bossuet, Condorcet, Herder, Ranke, Burkhardt, Cassirer —

Reler: *O imoralista* [de André Gide]. O próximo livro que quero ler são os diários de Kafka.

13/12/49

A moralidade conforma a experiência, não o contrário. Eu sou a minha história, ainda que em meu desejo moral de entender o meu passado, de ser plenamente consciente, eu me torne exatamente aquilo que a minha história demonstra que não sou — livre.

28/12/49

[*Neste caderno, que tem entradas até o início de 1951 e inclui a narrativa de SS de sua visita a Thomas Mann — um fato sobre o qual ela escreveria muitos anos depois num texto biográfico (um dos poucos que escreveu) — há uma epígrafe de Bacon na primeira página que diz: "Tudo aquilo que a mente apreende e em que se demora com uma satisfação peculiar deve ser posto sob suspeita".*]

E, F e eu fizemos perguntas a Deus hoje às seis da tarde [*na margem, SS anotou o número do telefone de Thomas Mann*]. Ficamos sentadas, paralisadas de espanto, diante da casa dele (San Remo Drive 1500) das cinco e meia até as cinco e cinquenta e cinco, ensaiando. A esposa dele, cara banal, rosto e cabelo cinzentos, abriu a porta. Ele no fundo da ampla sala de estar, no sofá, segurando pela coleira um cachorro preto e grande, que ouvimos latir quando nos aproximamos da casa. Terno bege, gravata marrom, sapatos brancos — dentes juntos, joelhos separados — (Bashan!) — Muito controlado, rosto sem disfarces, exatamente igual às suas fotos. Levou-nos para o seu escritório (paredes cobertas de prateleiras de livros, é claro) — sua fala é vagarosa e precisa e seu sotaque é muito menos marcado do que eu esperava — "Mas — Ah, conte-nos o que o oráculo disse" —

Sobre *A montanha mágica*:

Foi iniciado antes de 1914 e terminado em 1934, depois de muitas interrupções —

"um experimento pedagógico"

"alegórico"

"como todos os romances alemães, é um romance de formação"

"tentei fazer um resumo de todos os problemas que a Europa enfrentava antes da Primeira Guerra Mundial"

"Trata-se de fazer perguntas, não de dar soluções — isso seria muito presunçoso"

"Vocês não sentem que foi escrito de forma humana — que há otimismo nele? Não é um livro niilista. Foi escrito com benevolência e boa vontade"

"Hans Castorp representa a geração que iria reconstruir o mundo após a guerra, para a liberdade, a paz e a democracia"

"Settembrini é o humanista; representa o mundo ocidental"

"traiçoeiro"

[*SS*]: Todas as tentações — influências — a que Hans está sujeito — importante se dar conta de que (e de como) Hans sabe mais quando ele desce do que antes — está mais maduro — evocando Joachim.

[*Mann continua*]: "Isso está relacionado a uma experiência pessoal minha em Munique antes da guerra — até hoje não sei se foi realidade ou não — 'metapsicológica'"

[*No alto da página onde está esse último comentário de Mann, SS escreve: "Os comentários do autor traem o livro com a sua banalidade".*]

As obras dele [*ou seja, de Mann*] formam uma unidade e preferencialmente deveriam ser analisadas como um todo — (de *Buddenbrooks* até *Doutor Fausto*) — [*Mann*]: "Na vida literária, as ideias são ligadas e contínuas" —

Traduções:

"A melhor tradução de *A montanha mágica* é de um poeta francês, Maurice Betz, que também traduziu os poemas de Rilke com grande sutileza."

O melhor "inglesamento" de uma obra dele é a tradução de *A morte em Veneza*, por Kenneth Burke —

"O meu editor, Alfred Knopf, tem uma fé religiosa na capacidade da sra. Lowe de me traduzir — é claro, ela conhece muito bem a minha obra."

Fausto foi um livro muito difícil de traduzir.
[*Mann*]: "Ele tem um pé no século XVI" por causa do antigo alto alemão (luterano) —

Sobre escritores contemporâneos:

Joyce:

1. não tinha certeza sobre a posição de *Retrato* [ou seja, *Retrato do artista quando jovem*] na ordem das obras de Joyce (seu segundo livro?)
2. é difícil para alguém não nascido na "cultura" anglófona apreciar a beleza
3. leu livros *sobre* Joyce
4. acreditava haver uma similaridade entre Joyce e ele mesmo: — o lugar do mito em suas obras (*Ulisses*, *José* [*e seus irmãos*], *A montanha mágica*)
5. acha que Joyce é "um dos escritores mais importantes do nosso tempo"

Proust:

Tanto Proust como ele mesmo põem ênfase no tempo, mas Mann se familiarizou com Proust muito depois de *A montanha mágica* — "O tempo é um problema contemporâneo."

Sobre *Doutor Fausto*:

"É um livro-Nietzsche" — iniciado em 1942 e terminado em 1946

Na parte musical teve a colaboração de um discípulo de Berg chamado Darnoldi — também viu e conversou muito com Schoenberg no período em que estava escrevendo o livro — usou o *Harmonielehre*, de Schoenberg —

No momento está trabalhando numa "narrativa" um tanto breve — não um romance de fôlego — vai ter cerca de trezentas páginas — espera terminar em abril — é "mítico", "conto de fadas", "tragicômico". Extraído de um poema de um *minnesinger* alemão [trovador medieval], Hartman von Aue — "É a história de um grande pecador" — mas "que vivia sem culpa" — "uma história religiosa, grotesca"

[*Resumo de Mann para o enredo*]: Filho de uma união incestuosa (irmão-irmã) é expulso de casa — montanha? Oceano? Volta para o convívio dos homens, casa com a mãe — termina virando papa — isso vai ser ainda mais difícil de traduzir do que *Doutor Fausto* — contém uma mistura de alemão antigo, alemão médio, inglês antigo, francês antigo

Um novo livro suíço — sobre como foi escrito *Doutor Fausto*

— a escrita foi interrompida para uma cirurgia no pulmão — não vai ser traduzido —

[*Mann*]: "Só um livrinho íntimo para os amigos" — "as pessoas podem achar que é muito 'presunçoso'"

[*Perto da página, SS escreveu:*] Digressão: Desculpas pelas respostas insatisfatórias às perguntas — 1. Conhecimento precário do inglês — 2. Dificuldade das perguntas (*Montanha mágica* vai fazer vinte e cinco anos — jubileu de prata — "um jubileu muito importante")

29/12/49

terminei de reler o *Retrato*, de Joyce —

Ah, o êxtase da solidão! — ...

31/12/49

Hoje: duas casas de [Frank Lloyd] Wright (fase asteca) e *O Messias* [de Handel] e depois no Rhapsody.

Um novo ano! Mas dessa vez nada de besteira...

1950

5/1/50

[*SS voltou para Chicago e para o período letivo de primavera na faculdade.*]

Uma irritante viagem de trem, e "como se nunca tivesse ocorrido". Este trimestre promete ser mais estimulante em termos acadêmicos. Schwab está excelente como sempre (está dando um seminário sobre ciência moral na Igreja Batista de quinze em quinze dias, aos domingos, no qual eu e E estamos inscritos!) — e dois professores de inglês que dão cursos para ouvintes, R. S. Crane e Elder Olson, são incrivelmente superiores e esclarecedores. Também estou inscrita no curso de sociologia de Maynard Kruger (sociologia da economia, neste trimestre), mas só vou começar a frequentar na terceira semana. E. K. Brown está fazendo um trabalho muito competente com *Orgulho e preconceito* [de Jane Austen] no mesmo horário. E [Kenneth] Burke, é claro, para quem tenho de escrever um trabalho sobre *Vitória* [de Conrad]...

9/1/50

Reler:

Doutor Fausto

Ler:

Antonia White, *Frost in May*
Aldous Huxley, *Sem olhos em Gaza*
Herbert Read, *The green child*
Henry James, *Retrato de uma senhora*

16/1/50

[*Décimo sétimo aniversário de SS; é a única entrada para esta data.*]

Marcelo I foi o sucessor de Marcelino — assumiu o pontificado em maio de 308 sob o imperador Maxêncio; foi banido de Roma em 308 por causa do tumulto provocado pela severidade das penitências que impôs aos cristãos que haviam fraquejado na recente perseguição; morreu no mesmo ano + foi sucedido por Eusébio.

25/1/50

Estou lendo *Guerra + paz, Journal of a disappointed man* (Barbellion), + o Novo Testamento Apócrifo e meditando sobre a morte santa.

13/2/50

Guerra + *paz* foi uma experiência incomparável; também estou lendo Christopher Caudwell: *Illusion* + *reality*, Ernst Troeltsch, [Robert] Murray, *The political consequences of the Reformation*, as cartas de Rilke, texto sobre lógica de Dewey, + a biografia de Dostoiévski de [Edward] Carr.

De Rilke:

"... a grande questão hereditária: ... se estamos sempre inadequadamente apaixonados, inseguros em nossas decisões, + impotentes em face da morte, como é possível existir?"

Mesmo assim nós existimos, + confirmamos isso. Confirmamos a vida da volúpia. Mesmo assim *existe* mais. Não se escapa da sua verdadeira natureza que é animal, id, para uma consciência autotorturante e imposta exteriormente, superego, como Freud diria — mas sim o contrário, como diz Kierkegaard. Nossa sensibilidade ética é o que é natural para o homem + nós fugimos disso para o animal; o que é apenas o mesmo que dizer que eu rejeito a volúpia fraca, manipuladora, desesperante, não sou um animal, não vou ser uma futilitária. Acredito em algo mais do que a épica pessoal com o herói encadeando os fatos, em algo mais do que a minha própria vida: acima de múltiplas coisas espúrias + desesperos, existe liberdade + transcendência. *Podemos* conhecer mundos que não experimentamos, escolher uma resposta para a vida que *nunca* foi dada, criar uma interioridade absolutamente forte + fértil.

Mas como, quando podemos, instrumentar o fato da plenitude + amor? Temos de nos aventurar a algo mais do que a segurança da educação reflexiva. Se a "vida é uma forma vazia, um molde negativo, do qual todas as ranhuras + reentrâncias são sofrimento, desconsolo + as mais dolorosas descobertas, então a peça fundida que se obtém disso... é felicidade, consentimento — a mais perfeita + a mais certa bem-aventurança". Mas como teríamos de ser protegidos + resolvidos! E isso leva a arte exterior da gente para a morte, a loucura — ah, onde está a liberdade *expansiva*, a liberdade instrumental, liberdade que não seja *essa enorme posse do próprio coração que é a morte?*

A guerra está muito perto. Temos reservas para *Queen Elizabeth* no dia 22 de junho.

[*Sem data, muito provavelmente fim de fevereiro de 1950.*]

Balzac — "No tempo do Terror" —

O rosto dela era "como o rosto de uma pessoa que pratica a austeridade em segredo".

Enid Welsford: *The fool*
(Faber + Faber, Londres, 1935)

M. Wilson Disher: *Clowns + Pantomimes*
(Londres, 1925)

G. Kitchin, [*A survey of*] *Burlesque + Parody in English*

Empson: *English pastoral poetry*
(Norton + Co, Nova York, 1938)

[Kenneth] Burke, *Permanence + change*
Attitudes toward history

Arte + escolástica — Maritain
[*On*] *Growth + form* — D'Arcy W. Thompson
Valores morais + a Vida moral — [Étienne] Gilson
The mind of primitive man — Boas

Lost treasures of Europe (Pantheon)

Seebohm : *The Oxford reformers*

São João da Cruz: *Subida do monte Carmelo*
Jacob Boehme: *Aurora*
Meister Eckhart: *Sermões*
Traherne: *Séculos de meditação*

Lynn Thorndike: [*A*] *History of magic and experimental science*

H. Mahler: *Saadia Gaon*
E. R. Beavan + C. Singer: *The legacy of Israel*
I. Husik: [*A*] *History of medieval Jewish Philosophy*
Leon Roth: *Spinoza, Descartes + Maimonides*
S. Schechter: *Studies in Judaism*
S. Zeitlin: *Maimonides*

Deserto + lampejos dissolvidos dentro de um espelho —
[*Uma*] *Paixão no deserto* (Balzac)

Quis — quem
Quid — o que
Ubi — onde, quando

Quibis auxiliis — com a ajuda de que
Quia — por que
Quo modo — de que maneira
Quando — como

[*Está faltando a primeira página desta entrada, mas ela foi certamente escrita nos primeiros dez dias de setembro de 1950.*]

Passei o último fim de semana em Balboa com Sophia e Petie e foi como fazer de novo as provas de admissão em ciências. No entanto, conversar com Sophia, não sobre mim em especial, foi muito esclarecedor, como de costume.

Perguntei como se conversa sobre a morte com uma criança, +, outra noite sobre a dicotomia entre sexo e afeição. Autoaplicações:

1. A resposta mais razoável para a minha angústia neurótica atual a respeito da morte: ela é aniquilamento — tudo (organismo, fato, pensamento etc.) tem forma, tem começo e fim — morte é tão natural quanto o nascimento — nada dura para sempre nem deseja durar — Uma vez mortos, nós não sabemos disso, portanto é melhor pensar em estar vivo! Mesmo se morrermos antes de experimentar as coisas que exigimos da vida, não importa quando morremos — só perdemos o momento em que estamos — a vida é horizontal, não vertical — *não pode ser acumulada* portanto viva, não se humilhe.
2. É impossível dissociar sexo satisfatório de afeição — impossível, bem entendido, para mim — embora eu tenha pensado que eu podia — As duas coisas estão inexoravelmente associadas na minha mente, do contrário eu não teria rejeitado experiências sexuais com tanta frequência — O sexo tem sido uma confissão secreta, silenciosa, escura, da carência afetiva, que deve ser esquecida quando vertical — Que eu não me esqueça disso!

3. Minha necessidade de "confessar" para mamãe não era nada louvável — não mostra que eu sou reta e honesta mas 1) fraca, procurando reforçar a única relação afetiva que tenho, + 2) sádica — pois minhas atividades ilícitas são uma expressão de revolta; não são eficazes a menos que sejam conhecidas!

11/9/50

Reler *Admirável mundo novo*

Ler: "Chance" — estrutura clara, não é forçada, mas solução dúbia; análise dos motivos esplendidamente elaborada —

4/11/50

[*Não está claro a que poema SS está se referindo.*]

Não, eu não gosto nem um pouco do poema! É excessivo, eticamente confuso — complicado de um modo muito sem gosto. Mas é "bom" não "artisticamente", mas sim "historicamente" — como se nascesse da aceitação apaixonada da solidão, a qual eu tanto desejei. Eu abraço a minha solidão como uma bela dádiva; vou me tornar bonita por meio dela!

5/11/50

"O rosto dele era um desses rostos que, por medo de serem usados para o mal, acabaram sem ser usados para nada" ([Djuna] Barnes)

6/11/50

[Edward "Ned"] Rosenheim me contou hoje que [Kenneth] Burke disse que o meu foi o melhor de todos os trabalhos de preceptoria — isso significa que é melhor que o de E! Quem dera eu pudesse convencer a mim mesma de que ele não é tão inatamente superior a mim, com isso não ficaria tão constantemente perturbada com a ideia da vida dele e de suas ações, passivo, sem integridade, e a sua falta do conhecimento que só é adquirido por meio de um extenso + cuidadoso estudo de filosofia, história, + literatura. Ele é indiferente a essas coisas, em relação às quais eu me entusiasmo: moralidade, criação, caos, conhecimento, sensualidade; contudo sou aterrorizada pela ideia de que ele tem uma capacidade + aptidão *natural* que eu nunca vou ter!

12/11/50

Descobri mais coisas que aconteceram com o meu trabalho sobre *No bosque da noite*: depois que foi lido por Burke (que o chamou de "atordoante" em sua carta para Rosenheim), foi apresentado a outro leitor, um instrutor da área de humanas que não gostou nem um pouco dele. Como a opinião de Burke tem muito peso, foi feita uma exceção + um terceiro leitor, pediu-se a um outro instrutor da área de Humanas que lesse e arbitrasse. Ele gostou menos ainda! Por fim, a equipe de Humanas chamou Wallace Fowlie, que calhou de estar no campus na ocasião, + a decisão dele seria a definitiva. Fowlie gostou do trabalho tanto quanto Burke! (Ontem fui dar uma olhada no que Fowlie tem a dizer a respeito do livro em um dos seus volumes de crítica (*The clown's grail*) — seu ponto de vista é religioso (católico?), mas a análise parecia muito mais convincente que a de Frank.

Estou lendo o romance *Martin Eden* [de Jack London] pela primeira vez em três anos. Agora, depois de ter lido o livro pela primeira vez há quatro anos, posso ver com clareza como foi enorme a influência pessoal desse livro sobre mim, apesar de eu o considerar insignificante como arte. Embora eu tenha lido literatura adulta quando criança (*Twenty thousand years in Sing Sing, Heavenly discourse, Os miseráveis,* + Lamb [*Tales from Shakespeare*] lembro que tudo isso antes dos nove anos!), a leitura do livro de London coincidiu com o meu verdadeiro despertar para a vida, assinalado pelo meu início destes diários no final do meu décimo segundo ano de vida. Não existe nenhuma ideia em *Martin Eden* a respeito da qual eu não tenha uma forte convicção, e muitas de minhas ideias foram formadas sob o estímulo direto desse romance — meu ateísmo + o valor que atribuo à energia física + sua expressão, criatividade, sono e morte, e a possibilidade da felicidade!...

Para muitas pessoas, o livro do "despertar" é ao mesmo tempo uma grande afirmação — como o *Retrato* de Joyce — e assim a sua adolescência é cheia de paixão esperançosa, + só mais tarde, na vida adulta, eles encontram a desilusão. Mas para mim, o livro do "despertar" pregava desespero + derrota, e eu cresci literalmente sem nunca me atrever a esperar a felicidade...

E o "truque da visão" de Martin — o vulgar expediente do flashback panorâmico de London — por meio do qual, em todo momento importante da vida, ele se vê diante de um quadro vivo do seu passado — Isso tem sido uma necessidade para mim nos últimos quatro anos: para documentar + estruturar minhas experiências, compreender meu crescimento como dialético — estar plenamente consciente a todo momento do que significa sentir o passado tão real quanto o presente — Pela primeira vez vejo a fonte desse modo de vida, dessas preocupações narcisistas, nesse livro... Paixão esperançosa existe em virtude do desejo exterior + o esforço em sua direção; a paixão desesperada que adotei desde o início produz apenas uma alimentação reflexa — ela se alimenta a si mesma — o único bem que ela pode alcançar é o conhecimento... Uma consequência ainda mais ignóbil desse tipo de pessimismo se encontra no comportamento social da pessoa — A pessoa se torna um vampiro intelectual!...

17/11/50

Reler: outro livro "precoce" crucial para mim — *Confissões* [de Somerset Maugham] — aos treze anos ser plenamente convertida a um estoicismo aristocrático tão refinado! E a estrutura do seu gosto literário é claro que me influenciou demais — e, acima de tudo, outra vez, *o padrão*.

21/11/50

Apresentação muito bem montada de *Don Giovanni* na noite passada (City Center). Hoje, uma oportunidade maravilhosa se ofereceu para mim — *fazer* uma pesquisa para um professor de sociologia chamado Philip Rieff, que está trabalhando, entre outras coisas, como professor adjunto de sociologia da política + religião. Enfim uma chance para me envolver de fato num campo com uma orientação competente.

2/12/50

Noite passada, ou foi no início desta manhã (sábado)? — estou namorando firme Philip Rieff. [*Junto desta entrada, na margem, SS anota: "Das Marienleben, Jennie Tourel.*]

[*OBS.: Não encontrei outras entradas para o ano de 1950 e, fora o anúncio do seu casamento com Philip Rieff (ver a página seguinte), não havia nenhum caderno para os anos de 1951 e 1952 entre os pertences de SS após sua morte.*]

1951

3/1/50

Casei com Philip com plena consciência + medo da minha própria vontade apontada para a autodestrutividade.

1953

19/I/53

Na Schoenhof [*livraria em Cambridge, Massachusetts*] hoje
— esperando, de novo com náuseas, que Philip escolhesse um livro
para o aniversário do [professor Aaron] Gurwitsch, depois que se
descobriu que a *Correspondance* de Descartes está *épuisée* [esgo-
tada] — abri um volume dos contos de Kafka; numa página de *A
metamorfose*. Foi como uma pancada física, o caráter *absoluto* da
sua prosa, pura realidade *nada* forçada nem obscura. Eu o admiro
acima de todos os outros escritores! Ao lado dele, Joyce é tão tolo,
Gide é tão — sim — doce, Mann é tão oco + bombástico. Só Proust
é tão interessante — quase. Mas Kafka tem essa magia de realidade
mesmo na expressão mais deslocada, como nenhum outro escritor tem, uma espécie de calafrio + dor azul rangente nos nossos
dentes. Como em "Childe Roland à Torre Negra chegou" [poema
de Robert Browning] — certas páginas nos diários de Kafka, suas
expressões — "Mas eles não podem; tudo o que é possível acontece
de fato, só o que acontece é possível."

A faculdade da abertura — aterradora — escrita sem esforço que é o gênio mais elevado. Tolstói possuía isso acima de tudo, + a falta disso torna quase toda a literatura moderna de verdadeiro talento tão menor, como em *Miss Corações Solitários* [de Nathanael West] ou em *No bosque da noite*.

21/1/53

Deprimidíssima, silenciada, por uma série de sonhos nas últimas semanas, que chegaram a um clímax incrivelmente verdadeiro na noite passada. O tema? Mas, é claro, o que mais? Philip pôs o despertador para tocar às cinco horas da manhã, e eu ouvi. Eu queria levantar. Mas sabia que se consentisse em pegar no sono de novo eu teria a minha recompensa. Adormeci, e o sonho começou de novo — só que dessa vez dolorosamente real. Eu podia até tocar...

Havia uma espécie de penhasco que dava num cais, depois um quarto com uma cama pequena feita de madeira muito escura, e depois ainda o palco de um auditório.

Falei: "Vou lhe dar todo o dinheiro que você quiser". Porém antes, no cais, eu tinha dito: "É claro, você pode ficar com todo o dinheiro que quiser, mas você não vai precisar nem querer o dinheiro. Não é bom para você". Na segunda vez eu estava suplicando, ao passo que antes eu estava muito confiante, quase superior...

Quando entrei no quarto + vi a cama, vi logo que não era uma cama onde alguém dorme sozinho.

Você vive com alguém, gritei. Depois eu saí de trás da porta, eu acho, e ele estava muito velho. Lembro sessenta e sete, precisamente essa idade, pequeno, duro baixo cabelo cinzento. "Eu vivo com ele porque é rico."

Fiquei parada no canto do palco, com um tipo de vestido de gala. Uma grande multidão me aguardava, mas mesmo assim eu me atrevi a tocar cuidadosamente o lado da minha mão na mão dela...

Esses prazeres cruciantes — conclusão + loucura — não se parecem com nada que exista fora de um sonho. O fato de eu ter comprado esse prazer não reduz sua plenitude. Como estava inexplicavelmente suntuosa, eu não poderia mesmo esperar outra coisa, e carne é sempre carne, comprada ou não. Peço apenas para chorar durante um tempo muito longo, para ser consolada como se deve, para recusar todo consolo. Eu podia chorar durante três dias, talvez, gritar e soluçar sem pedir desculpas por causa do meu nariz que está escorrendo. Mas não faço isso, porque então teria de fazer alguma coisa depois, e não afundar de novo. Ou seja, matar-me ou partir.

Excluindo essas duas ações, eu não me atrevo a chorar, só coisas sem importância...

Esse sonho, e os outros que vieram antes, se amontoam na minha cabeça como um calombo pesadíssimo e grosso — empurrando minha cabeça para dentro da barriga, me entupindo com uma carga de silêncios nauseados, melodramáticos...

Philip acha até que estou doente, o meu pobre querido. Enquanto eu luto para ser alguém — para pôr o meu coração sob a minha mão — meu cabelo resolve ficar escasso quando eu me penteio, e embora eu proteste, ele marcou uma consulta com o médico...

22/1/53

O que torna a prosa "absoluta" é muitas vezes uma espécie de velocidade intelectual — mas ela tem de nascer muito de leve, só emergir no interior de percepções concretas. É essa faculdade que torna tão bom *Un crime*, embora o resto de [George] Bernanos seja porcaria. O morcego balança pendurado de cabeça para baixo na mente do inspetor, que está resfriado e se agita febrilmente no seu sujo quarto de hotel.

Prosa em toda parte.

Compacta + expressiva + veloz.

Na verdade, o estilo é que é o importante. O estilo seleciona o enredo.

A partir de agora — como disciplina — vou evitar o mais possível o diálogo, pois nos meus contos até agora é quase tudo diálogo — + muito ruim também — mas nada no intervalo.

Assim: O professor chamou os alunos da terceira série do seu departamento para uma reunião na casa dele numa noite de domingo. Ele queria silenciar os crescentes rumores relativos a um jovem auxiliar de ensino que, pelo que diziam, não voltaria a ser contratado no ano seguinte. Esse orientador de ensino não estava presente etc.

1954

[*Entrada sem data.*]

anestesia como um modelo de virtude (ligação com o poder)

17/8/54

Nesta noite (duas e meia da madrugada, em casa, faminta, olhos vermelhos, com sono), eu estava preparando um prato de abacaxi para comer quando P me pediu com insistência que acrescentasse um pouco de queijo cottage; ele pegou o recipiente parcialmente cheio na geladeira + começou a raspar todo o conteúdo para dentro do meu prato. Falei (+ mas eu falei a sério), "Não, eu só quero uma parte", tomei a colher da mão dele, + para minha própria surpresa, raspei eu mesma com a colher todo o queijo para o meu prato.

De repente compreendi por que David pode recusar com veemência alguma coisa + ao mesmo tempo aceitar. Para a criança, a vida é tão completamente autocentrada que não existe nenhum impulso coerente, o que já é uma limitação sobre o desejo.

O problema da influência (comunicação, no nível intelectual mais elevado) parece indicar que nosso pensamento é muito mais intrinsecamente destacável (separável) do que qualquer mente poderosa quer admitir. O estudo da influência de qualquer mente é um corretivo natural às suas próprias presunções sistematizantes, à sua própria insistência no caráter contingente da crença.

Preciso de um vocabulário para discutir as influências. Agora só tenho a noção de ortodoxia, discípulos, heresia (no modelo da religião) para discutir grandes movimentos intelectuais como o freudismo ou o marxismo; preciso de palavras para especificar as influências mais fluidas.

Pode envolver ordenar os próprios conceitos. Os de primeira importância [*na margem SS escreve: "mas como definir 'importância'?"*], segunda, terceira etc. depois ordenar esferas de influência em torno de uma centrífuga de dogmatismo + uma pressão centrípeta de "incorporação parcial".

Assim a pessoa pode ser freudiana sem acreditar no Crime Primordial, no lamarckianismo, na razão suja etc., pela tirania da psicologização em si — isto é, explicar a imagem positiva do primitivismo de Veblen (esbanjador, irresponsável, caprichoso, indolente) como uma/ por uma preferência pela mãe dele (com os mesmos atributos) em detrimento do pai truculento a quem ele temia + com quem sempre teve medo de competir.

O que é freudiano aqui é a psicologização da família; o que é mais geral do que Freud [*na margem, SS escreve: "Não ponha tudo isso na cabeça de Freud"*] é a suposição de que as decisões intelectuais apenas confirmam (cumprem) preferências subjetivas (irracionais)

1955

8/4/55

Recepção organizada pelo [*o que mais tarde se viu que era a CIA mascarada*] Comitê de Liberdade Cultural para o líder do Partido Conservador da Austrália, sr. Wentworth: um homem avermelhado, baixote, sorridente, com cara de político, à beira dos sessenta anos; as mãos dele ficam nos bolsos; os dentes são proeminentes. A ponta dos pés fica voltada para fora; tem um topete na cabeça igual a um pássaro, ofensivamente atento, confiante, sorridente. Falou sobre a morte das cidades, das exigências de sobrevivência...

[*As entradas seguintes estão sem data, mas foram escritas em abril de 1955.*]

Por que nós [*isto é, SS e PR*] não precisamos de um aparelho para gravar ditados — a falta do incentivo de transformar o intelecto de alguém num dom erótico (não a inibição da máquina + o trabalho de ligá-la etc.).

É por isso que falar é muito mais fácil + mais copioso quando comparado com o trabalho de fazer um diário + a patética exiguidade das entradas ao longo de um tempo de meses quando comparada com tudo o que uma pessoa fala numa só noite.

O diário (página branca de [Stéphane] Mallarmé) é inibidor; a fala é desinibidora porque o diário é narcisista + a fala é social + erótica + tem mais incentivo nas expectativas receosas + desejadas do outro do que nas demandas perfeitamente conhecidas + menos misteriosas + coercitivas do eu.

Exemplo precoce de *collage*

John Frederick Peto (1854-1907): chamado *Objetos comuns na mente criativa do artista* (óleo sobre tela)

1956

15/1/56

"Gnosticismo judaico" — [Gershom] Sholem

Teorias de Reitzenstein sobre a origem iraniana do gnosticismo — muito influente, hoje tido como especulativo

Hoje se acredita que o gnosticismo cristão foi precedido por um gnosticismo "judaico"

Recém-descobertos (há dezoito anos) papiros gnósticos em Nag Hammadi — treze códices

"Evangelho da verdade" etc.

Aqui está exposta uma forma monoteísta (não dualista) do gnosticismo valentiniano — que precedeu a doutrina antinômica dualista da qual falam os Padres da Igreja...

12/8/56

O "espírito" tem poder? Foi um dos temas principais da filosofia de Max Scheler; e a única resposta que ele pôde encontrar foi "sim", mas só por meio dos *que não são sócios do clube*, vetando o curso dos eventos + retardando a cadeia das ações brutas

No casamento, todo desejo se torna uma decisão

3/9/56

Todo juízo estético é na verdade uma avaliação cultural

(1) Exemplo de Koestler — pérolas/ gotas de leite
(2) "falsificações"

4/9/56

O amado egoísmo das crianças...

educação universitária é uma variedade de cultura popular; as universidades são um meio de comunicação de massa dirigido de forma precária

Quem inventou o casamento foi um torturador astuto. É uma instituição *destinada* a embotar os sentimentos. Toda a questão do casamento se resume na repetição. O melhor que ele almeja é a criação de dependências fortes e mútuas.

Brigas acabam perdendo todo o sentido, a menos que a pessoa esteja sempre pronta a agir sobre elas — ou seja, terminar o casamento. Assim, depois do primeiro ano, a pessoa para de "perdoar" depois das brigas — apenas recai num silêncio irritado, que passa a um silêncio comum, e depois continua outra vez.

20/10/56

... *Guerra e paz*, de Tolstói

tema básico: sobrevivência de um épico anti-heroico

Kutúzov, o anti-herói em escala nacional, triunfa sobre o herói, Napoleão

Pierre, o anti-herói em escala individual, prevalece sobre o herói, Andrei

23/10/56

seis e meia, jantar no Clube de Filosofia, com M[argaret] —M[asterman] Braithwaite

oito horas, ela dá uma palestra: "Para uma definição lógica da metafísica" (Emerson B)

Spinoza — o maior dos metafísicos.

[O filósofo de Harvard Willard van Orman] Quine se transporta para uma visão de um corpo completo de afirmações —

assim não surge o problema de algumas serem verificáveis + outras não.

24/10/56

Filosofar ou ser uma preservadora da cultura? Nunca pensei em ser outra coisa que não esta última...

O pensamento não tem nenhum limite *natural*.

Filosofia é topologia do pensamento...

Projeto: fazer um esquema ou um quadro dos movimentos (estratagemas) filosóficos. Filosofia como jogo. (Aprender xadrez!) Para Paul Morphy [mestre de xadrez dos Estados Unidos no século XIX] jogar bem xadrez não me ajuda grande coisa a jogar bem. (Ajuda um pouco.) Portanto a filosofia é refeita seguidas vezes

Em filosofia, a cobra engole o seu rabo; pensar sobre pensar^2 — dois sentidos de "pensar". Pensar é filosofia; pensar^2 = as ciências.

Mas considerações arquitetônicas ou estéticas (ou lógicas — a mesma coisa!) não podem ser *tudo* o que determina a eleição de um sistema filosófico em detrimento de outro. Nesse caso, não haveria nenhuma metafísica verdadeira + falsa.

"Permita-me radiografar seu argumento..."

"Permita-me desemaranhar seu sistema..."

"Dê-me licença para escavar seus motivos..."

Em filosofia nós sondamos, suavemente, as fronteiras do pensamento — ou então damos um tranco nas fronteiras — ou as puxamos para dentro, em nossa direção — ou cuspimos nelas — ou pintamos lindos frisos à sua volta.

O que é pensar sem palavras? Se tentamos, não conseguimos. Pensar se esforça para *ser* palavras, perversamente (ver o conceito de "fala interior" do [neurologista britânico John] Hughlings Jackson)

Palavras são as moedas do pensamento, mas não são o valor pecuniário do pensamento. (Isso contraria os filósofos da linguística de Oxford)

31/10/56

O mundo é um objeto único. — no sentido de que não tem fronteiras.

Os três filósofos que mais admiro, Platão, Nietzsche, Wittgenstein, foram confessadamente antissistematizadores. Seria possível demonstrar que o arquissistematizador — o filósofo que lançou seu próprio espírito nobre com severidade no leito de Procusto — me refiro a Spinoza — será mais bem compreendido se o seu sistema for desemaranhado e interpretado *aforisticamente*? [*Na margem, SS escreve "contra Wolfson".*] (S[øren] K[ierkegaard] sem dúvida tinha razão a respeito de Hegel.)

O solipsismo é a única filosofia *verdadeira*, se por filosofia se entende algo diferente do senso comum. Mas, é claro, ela não se entende assim e não é isso. Portanto não estamos em busca de uma filosofia *verdadeira*.

1º/11/56

O dia inteiro David quer saber: "*Quando* a gente morre enquanto está dormindo" (depois que eu recitei a prece da hora de dormir, "Agora eu me deito"... para ele, hoje de manhã).

Estivemos discutindo a respeito da alma.

3/11/56

Hoje eu estava explicando para ele [*David*] o inferno — quando ele disse: "Don Giovanni morre, não é?".

Mais tarde, ouvi isto:

David: Ro [*Rose McNulty, babá de SS e, na época, de DR*], você conhece o Ferno, o lugar para onde vai a gente ruim?
Rose: Eh.
David: Sabe o Don Giovanni? Ele matou o Grande Comendador, mas o Grande Comendador voltou — ainda tinha a mesma força (isto é, sua alma) — + mandou Don Giovanni para baixo, para o Ferno.
Rose: Eh.

É possível a *filosofia* da religião? Será que ela não "esgota" o próprio tema? O que pode significar "religião" fora das religiões históricas concretas?

Pascal: Rejeitar a filosofia já é filosofar.

4/11/56

Hungria no matadouro da história... [*Referência à expressão de Hegel "História é um matadouro".*]

Na terça-feira, no primeiro tanque israelense que entrou na península do Sinai, o Grande Rabino colocou uma Torá, dizendo: "Vocês estão entrando em solo sagrado. Foi onde Moisés deu a lei aos nossos pais".

A respeito da morte de Gertrude Stein: saiu de um coma profundo para pedir à sua companheira, Alice Toklas: "Alice, Alice, qual é a resposta?". Sua companheira respondeu: "Não há resposta". Gertrude continuou: "Bem, então, qual é a pergunta?" e morreu.

16/11/56

Henry James

A vida de solteiro foi exatamente o meio pelo qual James exerceu sua função de espectador.

Ler as *Memoirs* da srta. [Theodora] Bosanquet — datilógrafa de James nos seus últimos anos. Leon Edel diz que a ruptura entre o estilo "médio" + "tardio" (gasoso) ocorre justamente no ponto em que James parou de ditar para uma secretária que anotava em taquigrafia + passou a ditar para a srta. B, que datilografava enquanto ele falava. Uma Remington era a única máquina de escrever cujo ritmo ele conseguia suportar, + no seu leito de morte — em seus derradeiros momentos — ele pediu a sua Remington. E ela datilografou para ele. James morreu ouvindo a música da sua máquina de escrever.

Flaubert teria apreciado isso — páthos da vocação do artista.

18/11/56

Um projeto — Notas sobre o casamento

Casamento se baseia no princípio da *inércia*.

Proximidade sem amor.

Casamento é só comportamento privado — não público.

A parede de vidro que separa um casal do outro.

Amizade no casamento. A pele lisa do outro.

[O teólogo protestante Paul] Tillich: o voto do casamento é idolátrico (põe um momento acima de todos os demais, dá a esse momento [o] direito de determinar todos os momentos futuros). A monogamia também. Ele fala de modo depreciativo a respeito da "monogamia radical" dos judeus.

Rilke achava que a única maneira de manter o amor no casamento era com atos perpétuos de separação-retorno.

O escapamento da fala.

(No meu casamento, pelo menos.)

1º/12/56

Hippolyta tem razão; que paixão insensata! Esse tipo de sentimento não é muito respeitador das pessoas, dos gostos, das preferências. Qualquer um que diga "eu amo X porque temos muita coisa para conversar um com o outro" ou "porque ela é boa, ou porque ela me ama, ou porque eu a admiro" está mentindo ou não ama. Existe um tipo de sentimento de amor, um ou *dois* tipos básicos (o outro é amor-dependência) que é inteiramente impessoal — ele domina a pessoa + aquele em quem ele se fixa pode ser um objeto perfeitamente grotesco. Se esse amor é irremediável, não faz nenhum sentido insultar a si mesmo — sofra isso, deixe que a consciência do seu caráter manifestamente grotesco ajude a fazer esse amor passar.

Por grotesco não entendo imoral. Esse sentimento é amoral, bem como impessoal. As bochechas ficam ardentes; o chão foge de sob seus pés. *

* Lembrar a imagem de E. L. naquele dia de primavera do lado de fora da janela na aula de inglês A10 (srta. Estrop) — como o tampo da carteira inclinou e caiu embaixo dos meus cotovelos. Tive a mesma sensação — tudo tão completamente involuntário + dissociado do sentimento — como quando ajudei David a subir a escada hoje às seis e meia da tarde depois que voltamos de um chá na casa dos Carr [*o historiador marxista E. H. Carr e sua esposa, amigos íntimos de PR e SS*]. Eu não estava prestando atenção + de

repente o degrau pareceu fugir de debaixo de mim + caí contra a porta.

Dizer "*eu* amo" por conta desse tipo de sentimento é impertinente. É só "amor", o qual toma conta de mim e me dirige para X. Quanto ao outro tipo básico de amor, o amor-dependência, é adequado dizer "*eu* amo"; de fato, aqui, o "eu" é mais importante do que "amo".

Nota adicional: Ao dizer que amor é arbitrário quero dizer que é *vivenciado* como arbitrário. É perfeitamente óbvio, está claro, que ele é condicionado por desejos, imagens etc. suprimidos.

Para cada pessoa existe uma gama muito limitada de tipos de gente por quem ele [*esse "ele" está riscado no caderno mas nenhum outro pronome foi escrito em seu lugar*] — poderia se apaixonar desse modo.

Por exemplo, eu nunca poderia me apaixonar por alguém que fosse — o quê?

[*Lista sem data de eventos sociais — supostamente escrita no início de dezembro, mas cobre os últimos dias de novembro de 1956.*]

[*Sem data*]
jantar aqui: os Carr [o filósofo marxista emigrado Herbert], Marcuse, Hartz, nós

Sábado novembro [*nenhuma data*]
Jantar na casa dos Carr (Brandeis): os Carr, Owen, os Lattimore, John Carter Vincent, eu

Sábado, 24 de novembro —
Das quatro às seis horas chá na casa dos Carr (Brandeis) para levar alguma coisa para eles: os Carr, nós três.

26 de novembro
jantar aqui: nós, os Carr, levamos os dois de volta para o Ambassadors

29 de novembro
entre nove horas e uma hora café; apartamento do oculista — Morgan Memorial; café

1º de dezembro
chá com os Carr (Ambassador): nós 3; levei cadeira

Noite: *O gabinete do dr. Caligari* (192[0]) Conrad Veidt, Werner Krauss, *A última gargalhada* (1925). Diretor: F. Murnau

13/12/56

Hoje, pela primeira vez, a teoria da coerência da verdade fez sentido para mim. A verdade de uma afirmação julgada segundo a sua coerência em relação às outras afirmações que somos obrigados a fazer.

Correspondência pode ser incluída aqui — como um dos (principais?) critérios que nos obrigam a incluir uma afirmação no sistema de afirmações.

Kant exemplifica a teoria da coerência da verdade no seu método de regressão crítica.

Tópico de tese: "O normativo e o descritivo" (?)

A análise que Lucrécio faz da religião é como a de Freud. Religião não aplaca a ansiedade mas desperta a ansiedade.

Para os dois, toda a análise se dá nos termos da categoria de ansiedade.

Ética do não comprometimento, desligamento emocional parece estar de acordo com essa atitude a respeito da religião. De novo, Lucrécio e Freud.

Também *esta* ambivalência: a tensão prometeica (exaltar o homem, derrubar o divino espúrio; autonomia humana + autoconfiança) de par com a ética da prudência, o cálculo do dispêndio emocional.

15/12/56

Trigésimo quarto aniversário de Philip.

Tive algumas ideias boas na seção 8A esta manhã a respeito de "Jó". Assim como [William] James distinguia um modo brando e outro duro de fazer filosofia, também podemos — de maneira muito mais útil, eu acho, distinguir um modo brando e outro duro de fazer religião. Religião branda supõe que as demandas da *religião* + ética coincidem; é abominável, inconcebível, para ambas agir de outra maneira. Religião de modo duro permite essa disjunção, ou mesmo oposição, entre as demandas religiosas + éticas. O N[ovo] T[estamento] é tipicamente brando. O V[elho] T[estamento] (ver a história de Abraão tal como interpretada por S[øren] K[ierkegaard]; o Livro de Jó) é duro.

A demanda religiosa vem de deus para o homem; a demanda ética é o que rege a relação dos homens entre si.

Almoço com Joyce + Ted Carr

Nesta noite David — na penteadeira, no banheiro, na hora em que estava sendo preparado por Rose para ir para a cama — disse: "Como é que as pessoas ficam com dois maridos? Quando um morre?". Respondi: "Está certo. Se um morre, a gente pode casar de novo, se quiser." Ao que ele retrucou: "Bem, então quando o papai morrer eu vou casar com você". Fiquei tão espantada + encantada que só consegui responder: "É a coisa mais bonita que você já me disse, David".

Ele pareceu bem calmo, mas eu fui quase às lágrimas — perversa incredulidade e ansiedade supersofisticada antifreudiana sobre até que ponto Rosie teria usurpado de mim a afeição de David etc. etc., o que me levou a duvidar que ele *alguma vez* me diria, espontaneamente, qualquer coisa classicamente filial + carinhosa.

[*Sem data, sem dúvida meados de dezembro de 1956*]

Dos *Diários* de S[øren] K[ierkegaard]:

"Há muita gente que chega a suas conclusões sobre a vida como alunos do ginásio; tapeiam sua professora copiando a resposta de um livro sem ter feito a conta sozinhos."

"... o fantástico veículo da abstração."

Não há dúvida nenhuma, S. K. teria se tornado católico — a julgar pela trajetória dos *Diários*. As fortes páginas do final nas quais ele analisa o protestantismo como um corretivo, um antídoto — mas vazio + inespiritual, quando instituído por si mesmo, como na Igreja Luterana Estatal da Dinamarca.

19/12/56

David conhece a diferença entre um sarcófago e um esôfago.

23/12/56

No Museu Gardner [em Boston] (com David, Joyce Carr). "A carne rosada do Eden." Corpos de Dewy, muito ligeiramente núbeis.

A pintura do [pintor americano John Singer] Sargent da sra. Gardner é uma espécie de santuário no terceiro andar. Quadro comprido, estreito; a figura de ampulheta da sra. G, pesadas cordas de pérolas em quatro dimensões, boca borrada — como se o pintor tivesse desenhado a boca de modo muito preciso e depois tivesse esfregado a parte carnuda da palma da mão na pintura ainda antes de a tinta secar.

24/12/56

Os Carr vieram jantar esta noite...

Philip afinal não vai ler um artigo —

David, muito prestativo e carinhoso enquanto se prepara para ir para a cama, ocasião em que houve este diálogo: "E se Deus não tivesse criado o mundo?". Eu: "Aí a gente não existiria. Isso seria muito ruim, não é?". Ele: "*Não existiria*? Nem Moisés?". Eu: "Como alguém ia existir, se não existisse um mundo para ficar?". Ele: "Mas, se não havia um mundo, onde é que Deus estava?". Eu: "Deus existe antes do mundo. Ele não é uma pessoa ou uma coisa". Ele: "Então, se Deus não é uma *pessoa*, por que ele teve de descansar?". Eu: "Bem, a Bíblia *fala* de Deus como uma pessoa, porque é a única maneira como podemos imaginar Deus. Mas ele não é uma pessoa de verdade". Ele: "O que ele é? Uma nuvem?". Eu: "Ele não é uma *coisa*. Ele é o princípio por trás do mundo todo, a base do ser, em toda parte". Ele: "Em *toda* parte? Neste quarto?". Eu: "Ah, sim". Ele: "Deus é a melhor coisa que existe?". Eu: "Exatamente. Boa noite".

26/12/56

Interpretação:

Sempre a suposição de *sentido*. Um critério de interpretação (cf. Avril criticando Cornford nos "Sofistas") é que ela não permite *bastante* sentido (significado) para o texto.

27-29/12/56 Nova York

parti com David no dia 27 de dezembro — D vestia calças cinza de Oxford. Metrô para a Estação Sul [em Boston]. Trem das oito horas... Em Nova York meio-dia e quinze. Peguei um táxi para [Hotel] Gov. Clinton. Registrei-me, tomei banho, peguei um táxi que passou pelo Empire State Building para o restaurante Golden Horn. Comi *shish kebab*. Táxi para o Museu Metropolitan. De três às cinco horas na exposição egípcia e no Guerreiro Etrusco. Rosie chegou. Ônibus de volta para o hotel. Tomei banho e troquei de roupa. Parti às seis e dez — David preso à tevê, Rosie prestes a carregá-lo para a Estação Penn no outro lado da rua + ir para Flushing [*onde morava a família de Rose McNulty*] para passar a noite lá. Peguei o táxi para o hotel Taft. Herbert e Inge [Marcuse] lá, Peter + Frances chegaram pouco depois. Fomos a pé para o restaurante Parisienne. Andamos depressa, lagosta no jantar. Voltamos a pé para o [teatro] Winter Garden. *Troilus e Créssida*. Depois, com Tommy + um colega, atravessamos a rua para uma cerveja no bar do Taft. Tommy + colega foram embora, depois Peter + Frances para voltar de carro para Waterbury [Connecticut]. Andei com Inge + Herbert para o metrô em Columbus Circle. Boa noite. De volta para o hotel. Dormi às duas horas.

Acordei às dez horas com batidas na porta: David + babá [*Rose McNulty*]. Me vesti. David na tevê outra vez. No primeiro anúncio, desliguei o televisor. No térreo + dentro de um táxi para o Museu de História Natural. Duas horas lá dentro. Comprei um tiranossauro para David. Parti à uma hora. Peguei o ônibus para Central Park Oeste. Desci na rua 51. Comi na Achovy House. David comeu um sanduíche de toucinho defumado. Telefonei para Philip às duas e quinze. Fui com D + babá para o metrô (eles voltaram para o hotel Gov. Clinton, depois foram para a Estação Penn a fim de tomar o trem para Flushing). Do outro lado da rua, o Winter Garden. Comprei um ingresso para a matinê. *Troilus e Créssida*. De volta para o hotel às cinco e quarenta e cinco. Li o *N. Y. Times*, tomei banho, troquei de roupa. Fui visitar Peter Haidu. Saí às sete e quinze. Caminhei seis quarteirões, depois peguei o ônibus para a rua 45. Comprei um ingresso para *Cranks*. Procurei um restaurante. Fui ao Adano na rua 48 oeste. Às oito e meia saí e caminhei até o [teatro] Bijou. *Cranks*. Divertido. Saí às onze e quarenta e cinco. Táxi para rua 73 W., apt. de Alfred Clayburgh. Festa oferecida por Richard Eberhardt [poeta americano]. Na festa: Eberhardt + esposa com focinho de porco, Oscar Williams, dois índios em trajes típicos, Tambinetta + esposa, jovem poeta chamado Gregory Corso com óculos do século XVIII, Jose Garcia Villa, Ellaine Snyder (da U. Conn. [*Universidade de Connecticut, onde SS foi professora-assistente por um ano, em lugar de Boston*]; agora trabalha para a editora New American Library), poeta gordo chamado Oswald de Winter, Arabel Porter (de *New World Writing*) + marido John, Elizabeth Kezley (?) de Seattle, Jean Garrigue, Allen Ginsberg (poeta).

Voltei a pé para o hotel. Fiquei no saguão com Corso por meia hora. Subi para o quarto às cinco e meia. Li o *Times*, tirei a roupa, fui dormir.

Acordei às seis e meia. Me vesti. Rosie + David chegaram às seis e cinquenta. Saí do quarto + registrei a saída do hotel às sete. Táxi para estação de trem Grand Central. (Assento ruim.) Trem para Boston às sete e meia.

31/12/56

1. Nada fica sem ser interpretado.
2. Interpretar é determinar, restringir; ou esfoliar, ler por dentro do sentido.
3. Interpretação é o meio pelo qual justificamos o contexto.
4. Interpretar uma palavra é diferente de defini-la; significa especificar uma gama de contextos (*não* equivalências).

beijos como balas, beijos com sabor de sabão, beijos de lábios que dão a sensação do cérebro molhado de um bezerro.

Se entregar
Se entregar
Se entregar
De verdade.

[O psicólogo de Harvard] Jerry Bruner: Como é que X julga que Y é seu amigo (gosta dele)? Mulheres tendem a julgar com base no comportamento *generoso* — se Y deu presentes para X etc., X julga que Y gosta dela. Homens tendem a ser desconfiados do comportamento generoso (tido como homossexual?), julgam com base na prova de um acordo. X julga que Y gosta dele se concorda com ele.

Um sentido de "interpretação": levar em conta certas coisas.

Quando criança, eu era uma pequena e ardorosa deísta

1957

[*Com data apenas de 1957*]

Em que eu acredito?

Na vida privada
Em mostrar cultura
Em música, Shakespeare, prédios antigos

O que eu aprecio?

Música
Estar apaixonada
Crianças
Dormir
Carne

Meus defeitos

Nunca chegar na hora

Mentir, falar demais
Preguiça
Falta de vontade para recusar

Reler: "Melanchta" [de Gertrude Stein], *O castelo* [de Kafka]

1º/1/57

Ideias para contos —

Famoso emigrado judeu — professor universitário/ teólogo, hoje "gentleman" de Harvard. Ganha um prêmio da Alemanha. Vai negociar para Harvard a biblioteca de um velho judeu — um homem de negócios [que] tinha uma célebre coleção de autógrafos; tinha feito uma pequena doação ao Museu Kaiser Wilhelm pouco antes da guerra. Quando chegou o ano de 1939, os nazistas puseram a coleção em porões + lacres na porta, mas o homem teve permissão para continuar na casa. Em 1944, os bombardeiros ingleses e americanos vieram + destruíram a maioria das casas na área, mas aquela casa continua de pé

História principal

Contada em estilo abstrato — com o mínimo possível de factualidade.

Modelo: Kafka

3/1/57

Consigo lembrar como era não estar casada — o que eu fazia —, mas não consigo sentir como eu era na época. A sensação de não ser livre nunca me abandonou nesses seis anos. O sonho de algumas semanas atrás: um cavalo veio atrás de mim enquanto eu descia uma escada pequena — para dentro de uma piscina, parecia — e colocou as duas pernas dianteiras em cima de mim, uma por cima de cada ombro. Gritei e tentei me livrar do peso, depois acordei. Um correlato objetivo para os meus estados de ânimo mais sombrios.

Goethe afirmou que só o conhecimento insuficiente é criativo.

5/1/57

Conversa à noite (das sete à uma da madrugada) com Zeno Vendler, jesuíta. A Igreja Católica é a única instituição viável no mundo ocidental. Não se nega a admitir os burros e os fascistas (Spellman, Mindzenty etc.) ou que é tolice a Igreja pôr no Índex o *Discours*, de Descartes, ou *Os miseráveis* [de Victor Hugo]. Claro, ele é um intelectual, o grande crânio entre os seus pares jesuítas (que revelador: ele disse que seus colegas querem que ele participe do programa de perguntas e respostas que dá um prêmio de sessenta e quatro mil dólares; a tia Fanny disse o mesmo para P). Também a sensação que ela dá de que a Igreja está acima da Guerra Fria: Eles podiam trabalhar nos Estados Unidos, com [Władysław] Gomułka [*o líder comunista da Polônia, na época*], com Franco, com [Imre] Nagy [*o líder do levante na Hungria ocorrido no ano anterior*], se ele não tivesse ido "longe demais".

Existem 33 mil jesuítas no mundo — 8 mil nos Estados Unidos, o maior número, 7 mil na Espanha. Grande luta no interior da ordem é entre os americanos + os espanhóis.

Depois que Zeno foi embora, P + eu ficamos para um P. M. [post-mortem] de uma hora. O que o judaísmo poderia fazer para competir com isso? Levantei a velha objeção: uma vocação religiosa no interior do catolicismo ainda é impossível para mim, porque a Igreja é muito patriarcal — mas os judeus são ainda piores nesse aspecto. Onde, em toda a história judaica, existe uma santa Teresa, uma Edith Stein, para não falar em madre Cabrini?

P disse: Bem, então o judaísmo tem de ser reformado. Como você faria? Falei: O primeiro passo seria a criação de uma ordem — a Sociedade de Maimônides, se você quiser. Os judeus devem refazer um lugar para a vocação religiosa à parte do rabinato — pois o rabinato se degenerou completamente no atual sistema congregacional, no qual uma laicidade ignorante e vulgar contrata um ator.

Seria essa ordem coeducacional? Sim. Nós iríamos querer romper a repressão que sufoca os homens. Eles tomariam votos? Esse é o problema. Na certa o sistema anglicano seria melhor — votos por tempo determinado, três anos, seis anos, a serem renovados. Pobreza, castidade + obediência? O judaísmo é uma religião radicalmente não ascética + não existe precedente para a castidade. Mas, espiritualmente, não faz sentido compelir as pessoas a continuar solteiras sem especificar que continuem castas. De outro modo se incentiva a promiscuidade + a Ordem não é mais espiritual do que a academia militar de West Point. Mas e quanto à castidade como voto para a vida inteira? Existe alternativa para a organização paramilitar sexualmente segregada que é a Igreja? P sugeriu um plano que me fez lembrar Bruderhof.

6/1/57

Está ficando frio. Mamãe ligou hoje. Noite acadêmica chata, aqui: Jerry Bruner, os Rostow.

Ler "Teseu" de Gide outra vez.

Sobre o casamento: É só isso. Não tem mais nada. As brigas + o carinho, infinitamente reduplicados. Só que as brigas têm uma densidade maior, diluindo a capacidade de carinho.

O escapamento da fala. Minha mente está escorrendo através da minha boca.

Minha vontade está mais frouxa do que nunca. Que isso seja o mergulho antes da ascensão.

Títulos para contos: "Dias metropolitanos", "Comportamento privado" — seriam bons para coletâneas de contos unificados. "A promoção", "Diário de uma freira"

Duas pessoas algemadas uma à outra perto de um monte de esterco não deviam discutir. Só serve para aumentar o monte de esterco alguns centímetros + eles têm de viver com aquilo fedendo embaixo do seu nariz.

Discussões são adequadas para amizades. Mas pessoas que têm de viver juntas não deviam discutir.

P diz que lamenta ter discutido porque ontem eu tive enxaqueca. Uma razão ruim. Uma razão boa é que não faz sentido discutir.

Notas sobre o casamento

Ser apresentada aos meus bisnetos, no dia das minhas bodas de ouro? "Bisavó, *você* tinha *sentimentos*?" "Sim. Foi uma doença que peguei na adolescência. Mas fiquei curada."

P: "Você não sabe como é... se preparar para escrever. A gente senta, com a caneta em punho, folha de papel à mão. Se apronta, fica em posição, se prepara, se apruma: muito bem, lá vamos nós. Preparar, apontar, escrever... A ideia de escrever varreu da minha cabeça qualquer outra ideia."

... "É muito penoso estar sempre no ponto de partida..."

"Detesto ser tão autoconsciente."

De agora em diante vou escrever tudo o que me vier à cabeça.

Uma espécie de orgulho tolo que advém de manter por muito tempo uma dieta de cultura elevada.

Tenho diarreia da boca e prisão de ventre na máquina de escrever.

Não me importa se fica horrível. O único modo de aprender

a escrever é escrever. A desculpa de que aquilo que se está imaginando não é bom o bastante

A coisa mais preciosa é a vitalidade — não em algum sinistro sentido [D. H.] lawrenciano, mas apenas a vontade + energia + apetite para fazer o que se quer fazer + não ser "afundado" pelas frustrações. Aristóteles tem razão: a felicidade não deve ser almejada; ela é um subproduto da atividade almejada —

Ideias para contos

1. Conto à maneira de Kafka: professor universitário à espera de uma promoção. O excesso de interpretação do comportamento. O chefe do departamento. O reitor. Cartas de recomendação. Reproduções de impressos. Não ter certeza de onde se localiza o poder. Rumores. "Toda vez que eu avançava pelo corredor comprido, ele se metia no banheiro masculino. Não há como se enganar sobre isso. A natureza não poderia convocá-lo com uma regularidade tão chocante."

2. Um casal numa sala de espera. A curiosa interseção entre comportamento público + privado.

14/1/57

Ontem David declarou na hora em que estava sendo preparado para ir para a cama: "Sabe o que eu vejo quando fecho os olhos? Toda vez que fecho os olhos eu vejo Jesus na cruz". Está na hora de Homero, eu acho. A melhor maneira de distrair dessas fantasias religiosas mórbidas e individualizadas é subjugá-las com a sanguinolência impessoal homérica. Paganizar seu espírito meigo...

[*Com data de janeiro de 1957, a longa evocação de SS da sua infância, escrita em modo de notas, quase como um fluxo de consciência, exceto por alguns contos autobiográficos como "Projeto de uma viagem à China", e um punhado de entrevistas, foi o mais próximo que ela chegou de um texto francamente autobiográfico. SS pensou, de forma intermitente, em escrever não tanto um livro de memórias, mas sim um relato de sua amizade com algumas pessoas — Herbert Marcuse e Joseph Brodsky são os nomes mencionados com mais frequência. Mas no fundo ela preferia escrever ficção e, embora sempre prometesse fazer isso, jamais conseguiu inteiramente reduzir sua escrita de ensaios. Há duas versões. Na primeira, SS parece ter posto no papel tudo aquilo de que se lembrava, mas sem nenhuma ordem especial. As entradas que foram riscadas nessa versão formam o esqueleto de uma segunda versão, mais organizada. Incluí longos excertos da primeira versão, ao reproduzir a segunda na sua integridade.*]

Notas sobre uma infância

[*Primeira versão*]

Pernil + espinafre. Anthony Rowley.
No trem para a Flórida: "Mãe, como se soletra pneumonia?".
Sentada na cama do vovô no domingo de manhã.
O sonho de a escola na rua Grove estar pegando fogo.
O IGC. Srta. Ruth Berken. Judy Weizman. Peter Kessner. Walt Fleigenheimer. Marcia Millard.
Todas as mentiras que eu contava.
Papai me dizendo para comer salsinha, é boa, no Fun Club.
A grande bolha branca no meu dedo quando um papel pegou

fogo no bico de Bunsen (eu tinha um equipamento de química na escrivaninha de tampo de correr).

Thelma de Lara. A imagem de Jesus no sótão. "Isso é uma foto de Deus."

(8) Mamãe me dizendo que ia se casar com Nat.

Dividindo um quarto com mamãe dos primeiros dois anos em Tucson. (Nat recomendou isso.)

Ler Ida Tarbell sobre os Dupont.

Achar um restaurante Kosher para a vovó.

A escola Normandy Isle. Ida + Leo Huberman.

Equipamentos de química.

Peter Haidu pondo a mão na minha coxa debaixo da água (catorze anos).

Vir para casa depois de um churrasco.

Chorar no filme *Por quem os sinos dobram* — com mamãe, num cinema grande em Manhattan.

Hera venenosa. Dr. Stumpf.

As portas de vaivém feitas de ébano (chinesas) que davam para a sala de estar na casa em Great Neck.

A árvore de Natal de mesa na Flórida: prateada com luzes azuis.

Querer uma safira.

Pegar gafanhotos para colocar nas teclas de um piano de brinquedo.

Esfolar meu joelho direito na escola da rua Grove.

Sentar e levantar a perna direita para limpar, tentar apagar a marca preta.

Escrever uma redação para o sr. Shepro sobre os quatro barões ladrões da Califórnia (Huntington Hartford, Mark Hopkins +). [*Senhor Shepro era o professor favorito de SS na North Hollywood High School. Ficou na lista negra durante alguns anos depois que ela se formou.*]

A carteira do papai feita de couro de porco.

David Solomon, o filho do dono da mercearia.

Confessar que roubei a moeda quando na verdade eu não tinha roubado (escola Great Neck).

Ler *Twenty thousand years in Sing Sing*, de Warden [Lewis] Lawes. *Heavenly discourse* [de Charles Wood], e *Os miseráveis* (Forest Hills).

Nosso telefone: Boulevard 8-8937.

A casa coberta de tábuas do boulevard Queens (Forest Hills).

Ciúmes de Margie Rocklin por ter nascido na China + ter uma ama. Encabulada por tio Aaron ter visto minha bunda enquanto eu tomava banho de sol, mas tive medo de dizer isso (Great Neck).

Nellie [*empregada doméstica no início da infância de SS*]. O quarto dela. O pequeno rádio em cima da cômoda, à direita de quem entrava no quarto.

Arvell Lidikay se mostrando gentil comigo em Catalina Jr. High; eu não soube retribuir a sua gentileza.

Coqueiros no quintal da nossa casa na Flórida.

Mamãe com Unk numa partida de beisebol no dia 7 de dezembro [1941] quando o tio Aaron ligou para dar notícias.

~~Usar um fogão elétrico no El Conquistador.~~

~~A mulher de preto cujo marido tinha tuberculose.~~

Achar, construir um forte.

Sidney Lidz ("sr. Lidz") e a sua cara torta.

Tio Ben de terno marrom.

O porão do asilo de loucos em Verona [Nova Jersey]. Cheiro de urina.

Dormir com uma Bíblia debaixo do meu travesseiro de crina de cavalo.

Levar o travesseiro comigo quando mamãe me levou num fim de semana para visitar os Yonker, em Monte Vernon? Viagem de balsa.

Monte Arrowhead. Durante duas semanas, Nat ficou lá.

O filme sobre as irmãs Brontë.

O livro de Tolnay sobre a capela Sistina na biblioteca pública.

O enjoo de Judith [*irmã menor de SS*] no carro.

O acampamento em Arrowhead. Cheio de horrores. Comecei a roer as unhas.

Ver a cicatriz da apendicite de Charlene no poço Himmel.

Ficar com queimaduras nos pés — numa caminhada pelos arredores do terreno do El Conquistador.

Comprar um exemplar de segunda mão de *O mal-estar na cultura* [de Freud] na Pickwick's [livraria em Los Angeles].

A srta. Berken morava em Woodside com a mãe.

Sentada na caixa de leite Sheffield com Unk.

Contei a ele a respeito do "Cavaleiro enferrujado" (história em *Let's Pretend* [série de rádio para crianças]).

Ver Florence + tio Sonny se beijando.

O relógio que media o tempo para cozinhar um ovo e ficava pendurado na parede da cozinha (Verona).

Ver *Serenata prateada* [no] Forest Hills Theatre com Rosie.

Tucson: De noite, no meu leito de cima do beliche, eu verificava se Judith sabia o nome de todas as capitais dos estados dos Estados Unidos.

O bonde da rua Chandler [Los Angeles].

Martha e Bill Hirsch. Suzie. Quando Martha veio passar uma tarde na casa (Tucson) M + ela ficaram no pátio. Martha fumou Viceroys + eu guardei o filtro de um cigarro que ela fumou.

...

Uma freira chamada Violeta quando Rosie foi embora.

Ver anões na Feira Mundial [Nova York, 1939].

Uma vez, numa festa no apartamento da srta. Berken, eu derramei alguma coisa numa cadeira.

...

Tentar morder as unhas dos pés quando as unhas das mãos tinham acabado.

Jogar minigolfe na escola Sunshine — com Frances Francis e o garoto de Nova York, os dois da oitava série.

Saber que o edifício Cord Meyer que ficava do lado era de "acesso restrito".

...

Nabos para o almoço na escola Sunshine. Feijões. Expelir gás.

Ver *O morro dos ventos uivantes* com Charlene Paul.

...

Tia "Dan". A cicatriz larga e funda na perna dela.

Ver *Blossoms in the dust* (Greer Garson) com mamãe.

...

Aniversário da tia "Dan", 1º de abril.

Papai morreu no dia 19 de outubro de 1938

...

Ir para a igreja com Rosie.

A senhora na casa vizinha em Great Neck que disse que o pai dela tinha morrido. Como? O coração parou. Ah.

...

Tucson: ervas carregadas pelo vento.

Descobrir Thomas Mann no livro *Reading I've liked*, de Clifton Fadiman.

...

A grande cabeceira branca na cama de casal de M. (Forest Hills).

A viagem de trem para a Flórida.

Vovó Rosenblatt na Flórida.

A família de Rosie. O dia em que me levaram para pescar. "Eu quero pescar." Era uma enguia.

...

Leite com sabor de baunilha + bolachas com manteiga de amendoim (Forest Hills).

Ler a enciclopédia de Compton.

Ao voltar da escola, parar a bicicleta todos os dias para olhar o céu entre as folhas de uma árvore grande.

Andar na minha bicicleta pela Universidade do Arizona. "Força" em letras grandes e brancas no telhado do ginásio.

...

Assistir a um concerto de Sulima Stravínski no Wilshire Ebell [em Los Angeles].

Sophia deu aulas de voleibol durante um período.

O garoto Peter, sem pés + mãos normais.

Querer viver como Richard Halliburton [viajante e aventureiro americano].

...

A "orgia" com E e F (verão de 1950).

L. Ela entrou para os fuzileiros navais.

Pôr minha mão num cocô de cachorro debaixo dos arbustos (verão em L. I.).

...

Casa de Sophia. Construída por Gregory Ain.

...

Ler a respeito do dr. Norman Bethume [médico canadense que serviu no exército de Mao Tsé-tung] na contracapa de *True Comics* (Forest Hills).

Ver Peter através da porta do quarto de brinquedos com a cabeça entre as mãos (North Hollywood High School).

As duas meninas anãs (North Hollywood High School).

...

G. Passar a noite com ela.

...

Sonhos de ser "David".

Elaine Levi. Elaine tocando flauta. Emprestei a ela o livro *Martin Eden*.

Série de concertos Noites no Telhado, o teatro Wilshire Ebell.

Ser apanhada na livraria Pickwick por roubar *Doutor Fausto*.

A flâmula da North Hollywood High School na parede do meu quarto.

...

Forest Hills: Comprar um livro sobre a China (vasos, objetos de arte etc.).

Tucson: Rodar o mimeógrafo manual. [*SS fazia seu próprio "jornal" enquanto a família estava no Arizona.*]

Tirar as amígdalas. A enfermeira sentou na minha perna.

Petúnias na calçada nos dois lados da rua (Verona).

Dormir com Rosie. Ouvir o trem de noite (Verona).

Sarampo. 106. Viajar de carro.

Caminhadas com Peter nos morros perto do cânion Coldwater.

Sheldon Kaufman. Feio demais para se olhar. Dedos brancos e compridos.

A concha acústica do Hollywood Bowl.

Colega de quarto na universidade da Califórnia: Alvajean Sinzik.

Audrey Asher, o seu sorriso.

Forest Hills: Na estação, contando para o vovô que ele era a única pessoa de quem eu ia sentir saudades.

...

Apostar vinte e cinco centavos com o vovô no campeonato nacional de beisebol. Eu apostei nos Yanks, ele apostou nos "Bums" [Brooklyn Dodgers]?

Sonhar que eu podia voar.

Ler os romances de Perry Manson (Tucson).

[Meu] Primeiro quarteto de Betthoven: Op. 127.

Sr. Shepro. Comer na cantina dos professores.

Chorar no peito ossudo da mamãe antes de ir para a cama. Querer ser melhor.

Mamãe me deu um tapa na cara (Forest Hills).

Dr. Berman, o dentista em Nova York. Pasta Tópica Wait.

Comer no House of Chan.

Alborada del Grazioso [de Ravel]. Primeiro concerto no [Hollywood] Bowl.

Comer no Chansen's.

Aprender a dirigir. O Dodge.

Andar de metrô, (Nova York para o doutor Spain).

Vovô disse: "*Eye-talian*".*

Peter + eu traduzindo juntos *Walpurgisnacht*.

...

Pernas compridas do papai na barraca que o vovô armou para mim no quintal (Verona).

"Sabe a diferença entre a traqueia e o esôfago?" (Verona).

A fogueira na frente da escola do ensino médio (Verona).

...

Palm Springs. Chegando a uma conclusão a respeito de Deus.

Irene Lyons. Comprar cerejas depois que saímos do trem "F". (Eu tinha ido com ela quando ela foi encontrar o pai.)

Papai me ensinando a assobiar no recanto do café da manhã!

...

A "Camera Obscura" (em Santa Monica).

Jogar *gin rummy* com o vovô.

Colecionar informações de viagens da Câmara de Comércio por todos os Estados Unidos. A Agência de Viagens Dracman.

"Terra da esperança + Glória" na formatura.

Cortinas blecaute.

...

Eudice Shapiro e o American Art Quartet.

---

*Trocadilho: *eye*: olho; *italian*: italiano; e a lei de talião: olho por olho. (N. T.)

Ir ao Teatro Chinês Grauman's.

...

O acidente de Judith.

Mamãe usando o cabelo amontoado em cima da cabeça (Forest Hills).

Ver *Medeia*.

Papai cantando *"She'll be comin' 'round the mountain when she comes"*.

...

Mamãe me contando que o papai morreu. Na sala.

...

Ir de carro com Nat de Chicago para Nova York sem parar — mamãe + Judith foram de avião.

Chegar ao Essex House [hotel em Manhattan].

O Flamingo Club. Show de travesti.

O Tropical Village em Santa Monica.

Primeiro beijo. Alguém que conheci num Concerto no Telhado.

...

Ouvir no chão o quarteto de Hadyn com Peter, na rádio de música clássica WQXR.

Ver *O jardim das cerejeiras* [de Tchékhov] (Charles Laughton) com Henia (1949).

Uma apresentação de *Volpone* [de Ben Jonson] no Actor's Lab com mamãe.

...

Mamãe lendo, de Leonard Lyons, *Redbook, Cosmopolitan*.

Fingir tomar banho de chuveiro no final do período letivo (North Hollywood High School).

...

Ir visitar a mamãe no hospital depois que Judith nasceu (com Rosie).

Flórida: Sonhar que o Cavaleiro Solitário ia vir + me levar embora no seu cavalo, eu de sandálias.

...

Romeu e Julieta, de Gounod. Com Rosie.

Tucson: *O fantasma da ópera* com Boris Karloff [sic] — enquanto mamãe estava com Nat.

...

Chegando em cima da hora. No balcão, ouvindo Rubinstein.

Dar para mamãe o livro de campanha de Henry Wallace.

O domingo em que a mamãe veio ao acampamento + eu não nadei para ela.

...

Caminhar sob as estrelas.

...

Ouvir John Howard Lawson [*roteirista incluído na lista negra*] falar. Ele é manco.

Vovó Lena me dá batatas amassadas para comer. "Uma para a mamãe, uma para a Judy..."

Querer crescer.

...

Chorei quando Roosevelt morreu.

Ouvir a estreia mundial (rádio) da Sétima [Sinfonia] de Chostakóvitch.

...

Doar sangue para Israel. A dor no meu braço.

Dolores, uma rede de drive-ins; os carros dos homens sacodem.

Casamento do tio Aaron. A casa de Essex.

A orquestra tocou "*I dream of Jeannie with the light brown hair*" [Eu sonho com Jeannie de cabelo castanho-claro].

Me gabar do Nat. [*Nathan Sontag era um piloto que recebera muitas condecorações, primeiro da Real Força Aérea Britânica e depois, quando os Estados Unidos entraram na Segunda Guerra Mundial, da Força Aérea Americana.*]

...

Copiar os poemas de Gerard Manley Hopkins.

...

Começar a colecionar selos.

Ter o meu próprio quarto. Escolher as cores.

...

Elaine disse que a professora de ginástica bonita era lésbica.

Quando aconteceu um problema no incinerador de lixo no prédio de apartamentos onde a vovó Sontag morava (o Roosevelt), eu entrei em pânico.

Com medo de voar.

...

Pegar o bonde para o centro à uma hora da tarde às sextas-feiras para ir à orquestra sinfônica.

...

Ler em *PM* [jornal de esquerda de Nova York] sobre Bataan e Corregidor.

...

Ir à sinagoga uma vez em Tucson, ouvir o rabino pedir a todo mundo que compre bônus de guerra para contribuir com o fundo criado pela sinagoga.

...

Os Amigos da Música de Câmara de Valley. Sonata em Lá Maior de Franck. (Deborah Greene tocando piano; [seu] marido no violino.)

A montanha mágica.

...

Perder meu canivete + rezar para achá-lo (Verona).

Tio Sonny me levando mais fundo na água.

[*SS tinha uma leve fobia à água que às vezes atribuía a esse incidente.*]

...

Papai me mostrando como dobrava o seu lenço.

(No quarto deles, papai se vestindo.) Dizer para m[amãe] que eu preferia não ser judia quando ela estava entrando no chuveiro.

...

Rosie separando para mim os ossinhos da sorte da primeira galinha + o primeiro peru que ela assou. Fazer um pegador de panela para Rosie.

...

Guardar o anel do papai numa caixinha.

Ouvir *Macbeth* com Orson Welles (Mercury Players).

Rejeitar a ideia de tomar banho de sol nua.

...

Ir a um concerto no Occidental [College, Los Angeles] — o Trio Alma — na chuva. Com Peter. Vestir o casaco de pele da mamãe. Pegar carona com um motorista de caminhão para fazer parte do caminho de volta.

Papai comprando para mim uma caixa registradora.

...

Royce Hall [Universidade da Califórnia, Berkeley]: "O mundo é uma comunidade de interpretação que se concretiza progressivamente".

Curso de Meyerhoff; conversar com um cigarro na sua boca.

O dia em que F. Matthiessen morreu.

[*Segunda versão*]

FOREST HILLS (9-10)

Edifício residencial James Madison.

Rasgar o *PM*.

Número do nosso apartamento: D41.

P. S. 3.

A Feira Mundial.

P. S. 144.

Judy Weitzman. "Seu camarãozinho — quero dizer, enguia."

A mãe dela, de Boston, gorda. Dizia *tomahto*.

Pegar um ônibus para ir ao colégio. Pegar o ônibus na rua 68, atrás do edifício residencial Thomas Jefferson.

Doutor Will Cook Spain. Infecções. Ler revistas de história em quadrinhos no consultório dele.

Ficar triste quando mamãe vendeu o carro para um "funcionário da defesa".

Tia Pauline me levou para ver *Fantasia* (Nova York).

Jantar sexta-feira na casa de vovó Rosenblatt. Sopa de galinha + galinha cozida. O rádio em estilo antigo, com pernas, na sala de estar (Nova York).

Meu livro sobre racionamento.

Dizer para Alice Rochlin que Tchaikóvski era melhor do que Beethoven.

Contratos.

Judy dormia num catre.

Ir para "Jersey" pelo Túnel Holland.

Ver *Nossa vida com papai* com a mamãe. Minha segunda peça de teatro (oito anos de idade).

Boulevard Yellowstone 68-37 [Queens, Nova York].

Ler os livros de Albert Payson Terhune.

Johnnie Waldron. Me ensinou a comer com pauzinhos.

Um restaurante chinês, "Sonny's", no boulevard Queens.

Sonhos com o papai voltando, abrindo a porta do apartamento.

Dizer para o dr. Taschman que eu queria ser médica.

Ir com a mamãe à costureira (uma certa sra. Greenberg) na rua 79 + Broadway.

Esperar do lado de fora, dando comida para os pombos.

O vaporizador. Tintura de benzina no algodão.

Ouvir a Quinta Sinfonia de Chostakóvitch no rádio.

Srta. Slaterry em P. S. 3.

Árvore de Natal decorada por uma outra e Unk + festa de mamãe.

Passar pelas quadras de tênis.

Escrever um ensaio "Sobre o tempo", encabeçado por um desenho de uma ampulheta. "O que é o tempo?..." etc.

Escrever o meu livro sobre a Rússia.

Obter os discos do [teatro] Mercury da peça *Macbeth*.

Sentada na privada cantando enquanto Rosie enxugava o meu cabelo.

Olhar o livro de xilogravuras de Lynd Ward (*God's man*) + ficar assustada — sobretudo pela última página.

Levar uma pedrada na cabeça. Um monte de sangue na minha blusa branca. Judy Weitzman estava comigo.

Trabalhar para CD.

Comprar para mamãe *The secret history of the American revolution* [de Carl Van Doren] para dar de presente de aniversário.

Carta microfilmada do tio Sonny.

Ler revistas de história em quadrinhos no consultório do dr. Spain.

Sabu.

Elevador sem ascensorista no edifício James Madison.

Hy Hodes no sofá da sala.

Comer com mamãe no Ham'n Eggery. Ela foi me pegar na escola na hora do almoço.

O sr. Lidz me deu Fuzzy.

Ouvir a Parada de Sucessos (rádio) toda semana com Rosie.

Fazer um discurso para Dean Alfange (para prefeito).

Esther sabia tocar piano "como a Filarmônica". Ela vestia um casaco branco de pele.

Nós não tínhamos um apartamento com varanda.

Ir ao planetário.

Mamãe tricotando suéteres com um ponto chamado nó de cabo.

Ter um acesso de raiva — mamãe e Unk estavam lá — porque não queria ser uma garota quando eu crescesse. "Vou arrancar os meus seios."

Chorar porque não me deixaram ver um programa do Cavaleiro Solitário.

"... um inglês rico + com um título de nobreza."

Stella Dallas + filha dela Lolly + marido de Lolly, Dick Grosvenor [filme com Joan Crawford].

"Lorenzo Jones + sua esposa com Bella que o ama."

No IGC. "Pode me dar a sua atenção, por favor?"

O quarto em P. S. 144 era o 333.

Achar que o número 3 era o meu número de sorte.

TUCSON (10-13)

Usar um fogão elétrico no El Conquistador.

A mulher de preto cujo marido tinha tuberculose.

"O furo." Cavar, encher, cavar de novo.

Os Lim (família chinesa que era dona de uma mercearia em Speedway).

Montanha "A".

Cânion Sabino.

Os patos na garagem: Laurie + Billie. E também quatro galinhas.

Ganhar Lassie. Na garagem na primeira noite.

No colégio Mansfield Jr.: sr. Farrell, srta. Kalil, Jim Billingsley, Dick Matteson, o garoto gordo chamado Jimmy que me perseguia.

Muito ruim em álgebra.

Ver o rodeio.

Ir nadar no lago Himmel. (Mamãe não aprovava, no início.)

Judy tocou com Nichie.

Rua Drachman 2409. Telefone número 5231-W (sem telefonista).

Paulette Goddard na piscina do El Conquistador.

Ônibus Speedway núm. 4.

Michael Pister.

Josephine Peabody, *O flautista de Hamelin*.

Vovô me mandou um arco + flecha de verdade.

O Clube de Química Drachman.

David Rose. A casa dele pegou fogo e por isso a gente deixou que ficasse na nossa casa.

Começar a fazer o meu diário. A primeira entrada falava de ver um cachorro morto e se decompondo em Speedway, perto da loja do Lim.

A srta. Kalil disse que ela adorava Gilbert + Sullivan.

Disse que viu Katharine Hepburn.

Becky.

Nat em seu uniforme.

A escola dominical da mamãe.

Os irmãos Squtt: Marcie + Vera (de Minot, N. D.).

Nossa peça sobre Goebbels. *Verdade*.

Nat ficou na Pousada Arizona.

Nogales. The Cave (restaurante).

Vontade de dar ao meu cachorro o nome de Lad [rapaz].

O dentista, dr. Fee, do edifício Bank na rua Congress. Ele achou seis cáries.

Não me deixaram ir sozinha ao teatro Lyric.

Ilse Sternberg. Andando a cavalo. Um cavalo chamado Gringo.

K. D. Anderson, diretor de Mansfield.

Havia seis colégios do ensino médio na cidade; o colégio dos negros era o Dumbar.

Pedir à mamãe que copiasse para mim "A visão de Sir Launfal" [de James Russell Lowell].

Ser editora de *The Sparkler* (jornal do colégio Mansfield).

Meu próprio jornal: *The Cactus Press*.

Eileen Davidson + Bertie: os dois dentes grandes da frente de Bertie.

Ir descalça no ônibus até o centro.

O sr. Stanhouse. Sua filha Enid.

Srta. Kalil me emprestando o livro de Vernon Venable sobre Marx.

Srta. D'Amico, a professora de latim.

Apresentar-se no rádio.

O programa de quinze minutos da sra. MacMurtie todo dia de manhã, *Sally Sears*.

O coro dos Cossacos do Don e Draper & Adler no colégio.

Ser chamada de judia no colégio Mansfield.

A senhora que fazia bonecas. Hetty.

Bob Stone (?), que queria se casar com a mamãe.

Bob + eu contruindo uma lareira com tijolos + barro.

Brigar com uma garota chamada Jody durante a aula de educação física (*softball*).

O filho boboca de Max Factor.

Lágrimas vieram aos meus olhos quando contei que Tarzan + Jane tiveram um filho.

O espetáculo de mágica.

Avenida Campbell.

Rua Fort Lowell.

"Millie, Millie, estamos contentes de ver você de volta."

O prêmio Bausch & Lomb.

Bobby Prater, o seu cheiro.

A Keystone Liquor Co.

Pat Corelli.

Becky.

Assistir ao rodeio da torre do El Conquistador.

Ir de casa em casa pedindo doces no Dia das Bruxas, com Bob, Cy + Nichie.

O guarda + sua esposa alta.

Ler *Arizona Highways* [revista].

M[amãe] me proibiu de ler *Fruta estranha* [de Lillian Smith].

Steve Shuham.

Fazer muito esforço para ser engraçada nas cartas para a mamãe ("Archibald Sidebottom").

O sr. Starkie na Sunshine School. O passeio por Snob Hollow.

Capinar o trevo no gramado da frente.

Uma mulher me deu uma garrafa de cerveja na piscina do El Conquistador + eu bebi.

Dormir num beliche com Judy.

O sr. Starkie me dizendo para ler *Immensee* [de Theodor Storm].

Um livro de comentários anônimos escritos pelos alunos.

Bob + eu tentando preparar um formicida no laboratório.

Hymie + Lil Myerson + duas filhas. A loja de departamentos White House.

Dra. Vivien Tappan — seu consultório na própria casa.

O State (cinema).

La Jolla (boate).

Pioneer Hotel.

Santa Rita Hotel.

Cinto com uma fivela grande de resina prateada.

Micky me contando histórias de sacanagem no banheiro (El Conquistador).

O carro, um Buick, chegando à rua Drachman, vindo de Nova York.

Shirley Mandel, cabelo cor de cenoura, morava na casa vizinha.

A sra. MacMurtrie.

A dor de barriga na sala de jantar do El Conquistador.

Na Sunshine School: a garota da oitava série chamada Frances Francis.

Charlene Paul. Aquela agonia.

Músicas na vitrola automática perto da piscina (El Conquistador).

Fazer coleção de *Classic comics* na oitava série.

15/1/57

Regras + obrigações por ter vinte e quatro [*SS nasceu no dia 16 de janeiro de 1933.*]

1. Ter uma postura melhor.

2. Escrever para a mamãe três vezes por semana.

3. Comer menos.

4. Escrever duas horas por dia, no mínimo.

5. Nunca me queixar em público sobre Brandeis ou sobre dinheiro.

6. Ensinar David a ler.

Noite passada, Philip disse: "Não quero mais ser autoconsciente. Como eu odeio Hegel + todos aqueles que enaltecem a autoconsciência como a conquista mais elevada. Estou cheio de ser autoconsciente!".

"Bem, se você não quer que eu lhe diga quando você faz aquelas coisas, eu não digo."

Joyce falando de Jane Degras: "Ela era *meiga* que nem um pombinho".

É isso. É só isso. Não tem mais nada além disso.

Quem dera eu conseguisse a bolsa de estudos em Oxford! Aí eu saberia se sou alguma coisa fora do âmbito doméstico, o ninho enfeitado de penas.

Será que sou eu mesma quando estou sozinha?

Sei que não sou eu mesma quando estou com os outros, nem com o Philip — disso decorre a constante sensação de irritação, com ele, comigo mesma. Mas e sozinha, eu sou eu mesma? Também parece improvável.

Projetos em andamento:

"Notas sobre o casamento"
"Notas sobre interpretação"
Ensaio: "Sobre a autoconsciência como ideal ético".

Para interpretação:

Interpretação é transporte cultural. Quando não se pode mais acreditar nas histórias das Escrituras, nós as interpretamos.
O mito é "quebrado" no prisma da interpretação.

~~Descobrir muita coisa sobre:~~
~~Tornar-se erudita em:~~

~~1. Vida e filosofia de Abelardo~~
~~2. Biologia marinha, em especial água-viva.~~
~~3. Barão Bunsen~~
~~4. Filosofia de Spinoza~~
~~5. Livro de Jó~~

Ler: *The Amberley papers* [cartas e diários dos pais de Bertrand Russell].

"Ele tinha dois sistemas de interpretação para explicar seu fracasso." (Sartre)

[*Sem data, a não ser 1957, mas muito provavelmente de janeiro ou início de fevereiro.*]

A) começar a juntar *cópias fotográficas* (de verdade, não reproduções)
B) aprender grego

Otto Von Simson, *The gothic cathedral*, Bollingen, 1956, 6,50 dólares.

GÍRIA

"*the soft sell*" [vender com conversa mole] (versus "*the hard sell*" [vender fazendo pressão])
"*get the lead out*" [chega de moleza]
"*an odd-ball*" [um excêntrico]

[*Anotação de aula sem data, feita no início de 1957.*]

[Paul] Ziff: "entendimento significa um colapso da *análise* para Hegel. 'Razão' é síntese".

Isso é uma manobra para esquivar-se dos argumentos de Hume. Ver Hegel faz a gente gostar de Hume.

exposição de expressionistas alemães, dadaístas etc. (posteriores à Primeira Guerra Mundial)

Otto Dix (1891-)
George Grosz (1893-)
Max Beckmann (1894-1950)
Karl Schmidt-Rottluff (1884-)
Erich Heckel (1883-)
Max Pechstein (1881-)
Christian Rohlfs (1849-1938)
Ernst Barlach (1870-1938)

Käthe Kollwitz (1867-1945)

Dois dos mais importantes dadaístas:
Kurt Schwitters (1887-1948)
Max Ernst (1891-)

artigo: Lucrécio

... Quando é que uma recomendação é desinteressada? Quando é tecnológica

Relação entre recomendação e *classificação*.

... Tucídides, Nietzsche, sobre como os objetivos da recomendação perdem seu valor...

... Queremos uma teoria da verdade da *correspondência*, mas podemos nos contentar com uma teoria da moralidade da *coerência*

Uma das vertentes mais importantes da literatura moderna é o satanismo — ou seja, inversão autoconsciente dos valores morais. Isso *não* é niilismo, a *negação* dos valores morais, mas a sua inversão: ainda tolhido por regras, mas agora uma "moralidade do mal" em lugar de uma "moralidade do bem"

Exemplos:

1) de Sade — tomemos Sade como a inversão do reino dos fins de Kant. Todas as pessoas devem ser *forçadas* a tratar as outras como meios. Como Kant, o comportamento imoral deve ser irracional + coerente (i.e., universalizável). Ver estudos sobre a utopia de Sade em [Geofrey] Gorer.

2) *Severa vigilância* de [Jean] Genet — bola de neve = Deus, prisão = mundo, classificação de crimes = classificação moral, assassinato = graça, desgraça = felicidade, bênção. Duas atitudes em relação ao crime: Olhos-Verdes — vem como ato de graça, é dado; [e] Georgie — tem de ser desejado.

[Paralelo] com duas posições cristãs.

No bosque da noite

Está errado — faz uma injustiça com aqueles escritores, pois eles eram *sinceros*. Dizer que são/foram religiosos invertidos disfarçados (cf. a alegação de que Baudelaire era católico). O seu satanismo é genuíno.

Contudo, sua *obra* é uma espécie de testemunho torturado da força dos seus valores. Nenhuma Saturnal.

Sem repressão a maior parte do ano; nenhuma Missa Negra sem uma missa normal. Mas isso é superficial.

Paródia

Esta é a mais vigorosa *negação* daqueles valores — cheia de escárnio — usar a sua forma enquanto se inverte seu conteúdo.

Outro exemplo é Kafka (um ateu)

"Lit[eratura] do Sata[nismo]" é um instrumento cultural importante, no entanto. Apresenta-nos antagonismos agudos:

Kant ou Sartre, Calvino ou Genet. Nos faz escolher. Nos expulsa da complacência.

"liberais" acham que se a gente tem (a) sempre chega a (b). O que obviamente não é verdade.

19/1/57

nova conversa na noite passada no jantar com Alan Fink + Barbara Swan: Convenções versus espontaneidade. Essa é uma escolha dialética, depende da avaliação que a gente faz da nossa própria época. Se a gente acha que o nosso tempo está sobrecarregado de formalidades insinceras e vazias, a gente opta pela espontaneidade, até pelo comportamento indecoroso... Boa parte da moralidade é a tarefa de compensar a própria época em que se vive. A gente adota virtudes fora de moda, numa época indecorosa. Numa época esvaziada pelo decoro, devemos nos educar na espontaneidade.

Encontrei Joyce [Carr] na Widener [biblioteca em Harvard] às três e quarenta e cinco. Chá na cafeteria Hayes-Brickford. Folhear livros na Tutin's. Ela comprou a sra. Humphry Ward para P. Fui com ela até sua casa, tomei um vinho xerez durante uns cinco minutos + voltei às seis e meia.

Hoje, David é Ájax, o Pequeno + eu sou Ájax, o Grande. Juntos nós somos "invencíveis", uma palavra nova que ele aprendeu. Suas últimas palavras quando eu lhe dei um beijo de boa noite + saí do seu quarto esta noite: "A gente se vê depois, Ájax, o Grande". Depois, estalos de riso.

P e eu, discutindo constantemente quando conversamos, o que é raro. Fui escalada para o papel de assassina de marido à la Dorothea Brooke Casaubon [personagem do romance *Middlemarch*, de George Eliot].

Fiquei até duas horas da madrugada lendo a "sra. Humph".

20/1/57

Quando David entrou no nosso quarto às oito e meia, perguntei sobre o que ele estava conversando com Rosie. "Ah", disse ele, "perguntei para ela como é que o mundo existe."

Liguei para a mamãe hoje para que o David cantasse para ela "Home on the Range"

...

Emerson disse: "Um homem é aquilo que ele pensa o dia todo". Emerson, o existencialista.

[*Sem data, a não ser pelo ano, mas muito provavelmente janeiro ou fevereiro*]

CONTO

Professor universitário
Noiva jovem
1. A infância dele — isolamento jowettiano [*refere-se a Benjamin Jowett, classicista de Oxford do século XIX*] do meio intelectual americano.
2. Eles se conhecem + casam – intelecto versus sexo (a esposa)
3. Briga departamental: sente o gosto do poder (o rival)
4. Florença — mundo da arte, turismo — a esposa fica tensa
5. [o marido] encontra de novo um amigo — quer ficar muito com ele — a esposa protesta — o marido deixa a esposa + fica com o enfermeiro (o velho amigo)

14/2/57

No casamento, sofri certa perda de personalidade — no início, a perda era agradável, fácil; agora ela machuca e atiça minha propensão geral ao descontentamento com uma nova agressividade.

15/2/57

Apresentação maravilhosa de Gallic em *Ein Heldenleben* [de Richard Strauss] na noite passada. A gordura wagneriana foi bem aparada e, por baixo, a música que é enxuta, crepitante, militar. [Charles] Munch conduziu a orquestra mais depressa do que jamais ouvi, e conseguiu apresentar um Strauss sensual, mas não voluptuoso.

18/2/57

"Meu filho, de quatro anos, lendo Homero pela primeira vez"

Rosto rechonchudo e fofo
Relaxado de admiração.
Eu declamo.

Os nomes estranhos foram aprendidos,
E também os muitos resultados da volúpia de Zeus.

Horrores e mais horrores.
Pobre Pátroclo.
A gente se vê depois, Ájax, o Grande!
Meu filho se emocionou até as lágrimas ao saber
    que esse Ájax, embora forte,
    era um tolo.
Ficou impassível diante de Heitor,
    morto, aviltado, seus ossos
    empalidecidos pelo fogo.

Pobre Heitor. Lamentamos por Troia. Pobre Troia.
Contudo, meu filho preferia
   ser um grego. Eles venceram.
Essa criança aceita o mistério
   da violência, como os gregos.
Não se sente repelido pela brevidade
   do luto deles, nem pela
   demora das suas refeições deliciosas.

Ele moraliza, mas brevemente:
Helena não valia tudo aquilo.

Entende por que Aquiles chora,
   pela sua armadura de ouro, seu
   capacete, seu escudo, suas perneiras,
   capturadas por Heitor, assim como
   pelo querido Pátroclo, morto...

[Sem data, muito provavelmente final de fevereiro de 1957]

Áreas para eu me interessar: 1) linguística à la Bloomfield, 2) questão do conhecimento histórico; filosofia da história. 3) questão da discórdia filosófica, 4) acordo, 5) questão mente e corpo, 6) o normativo + o descritivo

[Paul] Tillich sucedeu [Hans] Cornelius (especialista em Kant — membro da escola de Marburgo) como professor de filosofia (catedrático) em Frankfurt. Deu aulas sobre Schelling, um pouco de Hegel. Nada de Kant. Foi cristão + isso ficou no passado.

Heidegger foi sucessor na cadeira de Hermann Cohen em Frankfurt. Cohen morre em 1918.

[Nahum] Glatzer [*1903-90, estudioso de literatura e teólogo, colega de PR em Brandeis, amigo da família e padrinho de DR.*]

[*Sem data, muito provavelmente final de fevereiro ou início de março de 1957*]

NÃO FAZER

1. Criticar em público alguém de Harvard —
2. Aludir à sua idade (de modo jactancioso, respeitoso-irônico, nem de nenhum outro modo)
3. Falar sobre dinheiro
4. Falar sobre Brandeis

FAZER

1. Banho de chuveiro de duas em duas noites
2. Escrever para a mamãe dia sim, dia não

... Kombu — alga japonesa (comestível/está seca) vem do norte do Japão

Parte do último mov[imento] da Nona Sinfonia de Beethoven se inspirou na música tradicional tocada por uma banda militar turca, chamada Mahter, que também introduz os tímpanos + o tambor na música ocidental moderna

distinguir

1. campos de morte (Maidanek, Auschwitz, Oswiecim, Birkenau)
2. campos de concentração (Buchenwald, Dachau, Sachsenhausen, Bergen-Belsen)

campos de morte ficavam sobretudo na Polônia + "processavam" só judeus — inaugurados no outono de 1942 + em funcionamento até o outono de 1944, quando Himmler os fechou

melhor fonte sobre os campos de morte é *Bréviaire de la haine*, de Léon Poliakov (Paris, 1951)

The root is man
— Dwight Macdonald
Alhambra: The Cunningham Press, 1953

19/3/57

Se eu não pensasse em mais nada senão em lógica, acho que poderia ser boa nisso. Mas requer tamanho "sacrifício do intelecto", por paradoxal que possa parecer

[*Sem data, rascunho de uma carta para o diretor do Somerville College, Oxford, muito provavelmente escrito em fevereiro de 1957*]

Caro dr. Vaughan

1) Fale logo da bolsa de estudos

2) Estudar filosofia em Oxford e ter um projeto de pesquisa

3) Mas eu vou [como pesquisadora da Fulbright, assim espero] dar aula na graduação de filosofia...

[*Na margem*] Professor [Herbert] Hart me deu autorização para usar seu nome como referência.

[*Anotação sem data*]

Viagem de navio na empresa Holland-America Line
Vandam
Rhinedam
Maasdam

Parte [para a Inglaterra] de Hoboken
Navio só tem uma classe
oito dias
260 dólares

27/3/57

Philip é um totalitário emocional.
"A família" é o seu mistério.

Uma ejaculação de choro.

1536 — Henrique VIII expropriou os conventos ingleses. Isso é um fato. Mas o que significa? Ninguém — nenhuma categoria ou profissão relevante — ergueu a voz em protesto. Significa que essa instituição, à qual tanta gente dedicou o coração + sangue + mente, foi *morta*. O mundo é atulhado de instituições mortas. Quem entre nós levantaria um dedo se a nossa universidade fosse ameaçada, ou se as sinagogas dos Estados Unidos fossem expropriadas pelo general Eisenhower; quem [*riscado: "daria a sua vida"*] defenderia o Estado-nação, se não fôssemos convocados à força?

O mundo está atulhado de instituições mortas.

1805: vitória de Napoleão em Austerlitz
1809: Tennyson nasceu
1811: suicídio de Kleist
1813: S. K. [Søren Kierkegaard] nasceu
1814: Napoleão derrotado
1831: Hegel morreu
1844: Hopkins nasceu
1850: publicado In memoriam
1855: S. K. morreu
1856: Freud nasceu
1859: *Origem das espécies*
1861: A. H. Clough morreu
1864: publicado *Notas do subsolo* [de Dostoiévski]
1865: Yeats nasceu
1875: Rilke nasceu
1882: James Joyce nasceu
1885: D. H. Lawrence nasceu
1888: Matthew Arnold morreu
1889: Hopkins morreu
1892: Tennyson morreu
1900: Nietzsche morreu
1926: Rilke morreu

[*Sem data, muito provavelmente final de março ou início de abril de 1957*]

Para a teoria da linguagem:

Limite do pensamento = linguagem. Linguagem é nexo entre sensação + o mundo.

CONDILLAC

Ler Condillac!

[Citação de H. L. A.] Hart: "Ele me fez andar em volta do problema. É como um labirinto com cem portas; nós entramos por uma, damos uma olhada e saímos de novo".

[*Sem data, mas quase certamente verão de 1957*]

ler o intratável feminista *Três guinéus*, de Virginia Woolf [ler também] *A lua e + as fogueiras* (vinte e cinco centavos), de [Cesare] Pavese [e o seu] *Mulheres* [*sós*]

29/8/57

Enxaqueca horrorosa na noite passada; depois de tomar as minhas pílulas, eu não dormi; passei a noite andando de um quarto para o outro — na cama com P, que estava esgotado por ter arrumado as malas no carro; esfregar os lábios na pele maravilhosa de David; bater papo com Rosie na cozinha enquanto ela passava a roupa e fazia comida: preencher cheques e arrumar papéis sem nenhum propósito...

Às cinco horas David começou a gritar — corri para o seu quarto + nós nos abraçamos + beijamos por uma hora. Ele era um soldado mexicano (+ portanto eu também era); mudamos a história, de modo que o México ocupou o Texas. "Papai" era um soldado americano.

Ele me perguntou hoje de manhã se alguma vez eu já tive medo. Respondi que sim, uma vez — quando a fumaça do incinerador encheu o corredor do prédio de apartamentos da vovó Sontag + eu pensei que o prédio estava pegando fogo.

Philip e eu na verdade nunca tivemos uma chance de nos despedirmos adequadamente — nunca houve uma conversa demorada no decorrer desses últimos dias — pois foi só então que paramos de discutir. Ainda estou zonza por causa dessa amargura, + banaliza tudo fingir que *não foram* trocados todos aqueles insultos amargos.

Houve lágrimas e abraços apertados sem sexo, e pedidos sobre cuidados com a saúde, e mais nada. A despedida foi vaga, porque a separação ainda parece irreal.

Entrei na casa, tirei a capa impermeável cinzenta que eu estava usando por cima do meu pijama, + fui para a cama. O vazio da casa parecia tão barulhento. Eu estava com frio, meus dentes batiam, minha cabeça pesava quarenta quilos — mas eu não dormi de verdade, flutuei na crista do sono, me contendo para poder ouvir a chegada do caminhão da Railway Express que vinha com a caixa de livros.

Rosie deixou três pedaços de galinha + eu comi um. Dormi de novo. A biblioteca da Universidade Brandeis telefonou às onze e meia para falar de uns livros que não foram devolvidos. Saí para a rua mais ou menos ao meio-dia — liguei para a R. Express a fim de me assegurar mecanicamente de que *viria* um caminhão. Comi mais um pedaço de galinha. O caminhão chegou às quatro e meia. Remexi uns manuscritos. A sra. Graham Greene telefonou, está em Boston por um dia, olhando coleções de bonecas; queria saber se algum museu fica aberto após as cinco horas + onde ficam as boas lojas para mulheres. Arrumei + selecionei mais alguns papéis.

Saí às seis e meia, fui ao U. T. Popcorn. *Tarde demais para esquecer* (Deborah Kerr, Cary Grant) — horrível! E *A rua da esperança* (Celia Johnson) — muito bom. Chorei no cinema: o carinhoso alfaiate judeu, o garotinho que queria um bichinho de estimação e era crédulo + de cabelo escuro. Chorei com isso!

Li um pouco de *Arte pela arte*, de [Albert] Guerard (tão presunçoso + juvenil) e fui dormir por volta das doze horas.

P telefonou de London, Ontário, à uma e meia para relatar que fez boa viagem — David está alegre, o cachorro acalmou.

30/8/57

fui acordada às oito horas pela Entrega Especial — o cheque do D. L. E. A. + despesas de viagens ½ do Centro (1400 dólares). Dormi outra vez, até às onze horas. Arrumei os papéis sobre Freud, arquivei umas coisas (ainda tem mais). Julius Moravcsik telefonou à uma hora para se despedir, + falou que arranjou um apartamento por meio da União de Falantes de Inglês, eu devia tentar isso também. Vesti-me + saí à uma hora — primeiro fui à Livraria Harvard + vendi quatro livros por 3,50 dólares, depois fui ao banco para depositar os 1400 dólares; depois fui à Cooperativa + comprei mais folhas para este fichário (encontrei Marshall Shulman — ele tem um aperto de mão forte); depois fui ao escritório do [professor Morton] White (Universidade Widener) às duas e meia para dizer "como Gertrude Stein disse para William James, hoje não estou muito a fim de fazer filosofia". Marquei outra reunião para as onze horas de terça-feira.

No Elsie [lanchonete em Cambridge]: um sanduíche de rosbife, bolo de maçã aberto, água (sessenta e cinco centavos). Voltei para casa às três e quinze. Continuei a arrumar os papéis sobre Freud, fiz anotações, trabalhei em alguns trechos ruins do capítulo 2. [*SS se refere a* Freud: The mind of a moralist, *o livro que ela e PR estavam escrevendo juntos durante a segunda metade do seu casamento, mas que foi publicado apenas com os créditos de PR, depois da separação e do divórcio subsequente.*]

Moravcsik telefonou às cinco horas para me dar o endereço da União dos Falantes de Inglês. Escrevi uma carta para eles, para uma certa senhora K. L. Gee que o ajudou. Escrevi para o St. Anne [faculdade, Oxford] também, avisando a data da minha chegada.

Saí às sete e meia — andei até o Central Square + me fartei com uma pizza mais ou menos no Simeone (1,58 dólar). Vi a última hora de *A maldição de Frankenstein* (Technicolor, sóbrio, inglês) no cinema do Central Square. Em casa por volta das dez e meia (peguei o ônibus na Mass. Ave. no meio do caminho).

Tirei os lençóis das camas no quarto de David.

P telefonou às onze horas; disse que havia telefonado às oito horas, quando chegaram a Chicago. Boa viagem. Rosie acabou de sair para dar uma volta com o cachorro. David cantou para mim "Wave the flag for old Chicago" — falei com ele duas vezes. "Vi um filme de detetive na televisão e, sabe, eles jogaram uma bomba!" (Isso foi dito duas vezes.) P acha que ele vai de carro, afinal; era tão fácil. Vai telefonar amanhã.

Bebi um copo de leite gelado.

Eu ia tomar um banho de chuveiro + lavar o cabelo, mas fiquei com muita preguiça. Li cinquenta e quatro páginas de *O sol também se levanta* (chato) + peguei no sono à meia-noite e meia.

31/8/57

Acordei às onze e meia. Dei mais uma arrumada na bagunça, transcrevi algumas anotações sobre Freud, pus nas prateleiras livros que estavam espalhados. Liguei para a livraria Mandrake para ver se consigo com eles mais papel de embrulho para mandar mais recortes de Freud diretamente para St. Anne. Trabalhei nas notas de rodapé até o capítulo 3. Saí às três e meia. Levei o material para a Mandrake para ser embrulhado, + vou ligar para saber na terça de manhã. Fiz uma refeição decente (costeletas de porco e camarões em molho de soja + cogumelos pretos) no Young Lee, por 2,79 dólares. O lugar estava vazio quando me sentei, + só outras duas mesas estavam ocupadas quando saí...

Fui a pé para casa por volta das quatro e quarenta e cinco. Comprei o *Times*. Li na sala de jantar, enquanto ouvia o disco *Carmina Burana*; tomei um copo de leite; ajeitei alguns livros na estante no corredor; liguei para Henri Weinhardt para me despedir (Eu Fui Educada), nenhuma resposta. Telefonei para mamãe às seis e meia — uma conversa carinhosa e natural. N está em Oregon, Judith está se mudando amanhã.

Fui para o primeiro andar às sete horas. Lavei algumas roupas de baixo, + comecei a me aprontar a me aprontar [sic] para trabalhar no artigo para White. Dormi uma hora. Comecei por volta das nove horas; Philip telefonou às dez horas (a cobrar — o pai dele ficou zangado com a duração do último telefonema) + eu falei com David também. P diz que está tentando arranjar um motorista para terça-feira + eles vão de avião (!) na sexta. Ler um pouco mais do livro de Hemingway. Às doze horas, um banho de chuveiro — lavei o cabelo. Folheei o livro de White, tentando entrar no clima para escrever esse tipo de artigo. Dormi às duas horas — que soporífero.

1º/9/57

Acordei pontualmente às onze horas. Arrumei mais alguns papéis + livros, esvaziei as latas de lixo, terminei de fazer a mala. Toquei *Nelsonmesse* + fiz para mim dois ovos cozidos + um copo de leite. Escrevi uma carta para David, um bilhete para Henri Weinhart. Trabalhar no artigo de White a sério à uma hora mais ou menos. Parei por volta das duas horas para comer às pressas uma latinha de atum + meio vidro de cogumelos em conserva. Liguei para o Gouverneur Clinton [hotel na cidade de Nova York] para fazer uma reserva para terça-feira à noite. Trabalhei até as quatro e meia. Tomei uma sopa em saquinho. Lavei minhas roupas de baixo e meus pijamas. Li mais um pouco de Hemingway. Saí às seis e meia. Andei um pouco pela Brattle + ruas transversais observando os tipos de telhado nas casas de madeira de meados do século XIX.

Entrei no Brattle Theatre às sete e vinte para ver *Três histórias proibidas* (muito medíocre — + todo cortado). Fui para casa a pé às nove e meia. Dois rapazes com sotaque áspero de Nova York me seguiram sem muito entusiasmo na saída do cinema e, quando eu entrei na rua bem na frente da casa em que o carro deles estava estacionado naquela rua — perguntaram se eu não gostaria de dar uma volta. Esquentei o resto da sopa e tomei. Telefonei para Aron Gurwitsch para me despedir; ninguém atendeu.

Passei o dia todo brigando com o trabalho — esse artigo é uma tolice, + não tenho o menor interesse no assunto. Na verdade, não tenho nenhum interesse em filosofia neste momento. Minha mente está vazia, sofro por causa de uma inquietação. Devo ter caminhado quilômetros dentro desta casa nos últimos três dias. Antes de dormir (mais ou menos à uma hora) terminei *O sol também se levanta*; li quatro ou cinco contos de Hemingway + "A quinta coluna". Que podridão!, eu diria, como Lady A.

2/9/57

Acordei às dez horas. (Por quê?) Fiquei na maior agitação no primeiro andar, desci e comi um ovo cozido, suco de laranja, + um prato de purê de maçã.

Passei uma hora embrulhando e amarrando a tese para mandar pelo correio amanhã com o resto das coisas. (Por via das dúvidas... Não tenho tempo de transcrever as poucas coisas de que talvez precise para ela.) Agora sei por que tendo a ser desleixada, amontoar as coisas quando não estou usando. Quando tento de verdade ser organizada — pôr as minhas coisas no lugar — acabo ficando compulsiva, obcecada; perco horas com isso.

Achei uns selos de três centavos num envelope velho + passei mais meia hora colando os selos nas minhas cartas. Duas viagens ao correio — porque descobri que a ponta de um selo não estava colada, por isso tive de voltar para casa!

Fiz algumas anotações sobre o livro de Abrams para o capítulo 4 [e] no estilo de notas de rodapé de [Lionel] Trilling sobre [Matthew] Arnold.

Tomei um pouco de sopa de feijão (com Riesling + suco de limão), abri uma lata de sardinhas. Liguei para os Gurwitsch — permaneceram indiferentes. (Entretive [o editor] Kurt Wolff.) Tentei dormir durante uma hora.

Fui dar uma caminhada às quatro horas. Vi uma hora do filme *Matar para viver* (Anthony Quinn) no U. T. (Suportável — Technicolor.) Em casa às cinco e quinze.

Me afogando em silêncio; neuroticamente cansada, inquieta...

Trabalhei uma hora, mais ou menos. Tomei um copo de suco de laranja. Ouvi o noticiário no rádio. Trouxe as malas para baixo, para a sala. Telefonei para a estrada de ferro para ver se há um trem rápido às duas horas e também à uma. Tem. Tentei telefonar para Rosa Goldstein para me despedir — ninguém atendeu. Servi uma coqueteleira de *creme de menthe* + fui para o primeiro andar. Comecei a trabalhar a sério às oito horas. Parei às dez e cinquenta. Telefonei para P, que disse que as coisas andam péssimas e à la Balzac em Chicago (na casa dos pais de PR] (Dinheirodinheiro)

Em terceira marcha — trabalhei até as seis horas da manhã + terminei a bobagem. Pus o despertador para tocar às nove horas.

3/9/57

[*Tive de optar por reproduzir o último dia de SS em Cambridge e, na realidade, o último dia do seu casamento com todos os detalhes que ela registrou, mas em seguida omitir o seu igualmente detalhado relato da viagem de trem, sua chegada a Nova York e o que fez na primeira noite que passou lá.*]

às nove horas meus olhos davam umas pontadas mas eu estava tensa demais para me sentir exausta, e levantar não foi problema. Arrumei + e joguei fora "as últimas coisas", colei nas pastas + caixas de fichas o aviso "Por favor, não abra", redatilografei as duas últimas páginas do artigo, tomei banho de chuveiro, me vesti + saí da casa às dez e meia carregada de bagagens + envelopes de anotações, roupas (para Chicago) etc. para mandar pelo correio. Cambaleei até a livraria Mandrake (nem sombra de táxi na avenida Massachusetts), peguei o embrulho adicional que eles prepararam; deixei tudo lá; fui para o outro lado da praça [*i.e., Harvard Square*] para pegar um táxi, voltei nele para a livraria, empilhei tudo dentro do carro + fui de táxi até o correio três quarteirões adiante. (Nessa altura, eram onze e dez e meu encontro com White era às onze horas.) Um funcionário solícito do correio, mesmo assim perdi certo tempo... A caminho de Widener passei pela avenida Massachusetts indo na direção oposta; ele estava esperando (mas tinha outras coisas para fazer) + agora estava meio sem rumo — livraria + banco. Marcamos de nos encontrar em vinte minutos no seu escritório, + eu passei o tempo no Elsie com um rosbife especial.

Ninguém estava lá quando bati na porta da Universidade Widener. White veio alguns minutos depois, alvoroçado pelo corredor, me deixou entrar + ficamos sentados durante uma hora numa conversa filosófica. Perguntei a ele (em voz baixa, animada, de vez em quando num desacordo estudado mas no final entrando em acordo) até que ponto o aspecto "terapêutico" das doutrinas de [Ludwig] W[ittgenstein] predominavam em Oxford, ele disse que não muito — só [John] Wisdom em Cambridge levava esse tipo de coisa a sério. E quanto à divulgada opinião de Austin [o filósofo J. L. Austin] de que quando os filósofos são bons de fato + sabem o que estão fazendo não se trata mais de filosofia, que os problemas filosóficos não existem para ser *resolvidos*, mas *dissolvidos*? — falei. Bem, disse ele (em tom sensato), ele não acha que essas opiniões são idênticas. Austin achava que *alguns* problemas podiam ser dissolvidos, mas ainda havia trabalho para a filosofia fazer. Ninguém que tenha assistido às suas palestras sobre W[illiam] James duvida que Austin estava fazendo filosofia, + de um tipo construtivo. Etc. etc.

Ele me perguntou o que eu achava do seminário de Hart [o filósofo jurídico e ex-promotor representante da Inglaterra no julgamento de Nuremberg H. L. A. Hart] — eu me mostrei presunçosa, educadamente negativa: a posição que eu sei que é a dele. Juntos "nós" dissecamos o seminário. Eu disse que a analogia básica subjacente que Hart apresenta (mais que isso — identidade, ele postulou) entre as indagações causais do advogado, do romancista, + do historiador era equivocada. Todas eram diferentes — + desenvolvi isso em passagens do meu artigo: Nenhuma distinção entre *uso* e justificação etc. *Ele* disse (+ esse foi o único comentário de visão da hora que durou o encontro) que o que mais o aborrecia na maior parte do trabalho que se fazia em Oxford (com exceção de Austin, é claro) era que eles pareciam interessados numa descrição fenomenológica de um discurso que não tem clareza. Exatamente, falei; e mais que isso, eles sustentam que isso é tudo o que a filosofia pode fazer com segurança — quando se tenta ir além disso (à maneira dos reconstrucionistas racionais), só se conseguem "mixórdias", "charadas" etc. — que têm de ser dissolvidas. White achava que isso é análogo às disputas entre os economistas americanos, entre os "institucionalistas" (por exemplo, Veblen) + aqueles interessados em construir modelos abstratos (ou fórmulas matemáticas) do comportamento econômico. Naturalmente, White achava que ambos estão certos e errados, advogava uma posição intermediária.

A última parte da hora foi consumida num bate-papo sem compromisso... [e] sobre onde ficar hospedado em Londres + Oxford — ele recomenda o Linton Lodge em Oxford. Recomendou-me ir a Londres para ouvir [o filósofo A. J.] Ayer e [Karl] Popper. Escreveu uma carta de apresentação para Austin. (Havia uma ponta de hostilidade expressa lá em relação à "srta. Sontag".) Uma saída sem graça, na qual saí primeiro pela porta + fiquei parada na frente do elevador, depois ele veio atrás + saltou no segundo andar.

Fui até o térreo + saí pelos fundos na avenida Massachusetts + fui a pé para casa. Agora era uma hora. Fechei o cadeado no armário da cozinha, fechei minhas malas, fui ao banheiro, depois telefonei para um táxi de Harvard que chegou em três minutos com um velho simpático ao volante. Agora era uma e quinze. Mandei que fosse pela avenida Massachusetts (1) para parar em frente à entrada da Widener para que eu pudesse devolver um livro (*Plays*, de [John] Gay — edição da Abbey, com a música); depois (2) para o correio, onde mandei o resto dos embrulhos, incluindo um de roupas velhas para Chicago; depois (3) para os escritórios da Bradley na rua Brattle, onde deixei uma cópia do contrato de aluguel + as chaves da casa com o desorganizado e suado sr. Elliot; depois (4) fui para a estação Back Bay. Eram duas horas em ponto quando o táxi chegou lá, + o trem devia chegar em cinco minutos, + não havia carregadores em parte alguma. O taxista se ofereceu para levar minha bagagem (isso é contra as regras) quando eu fiquei ligeiramente frenética — levou-as para dentro da estação, onde ainda não havia carregadores, + depois as levou escada abaixo para o trem que estava acabando de chegar. Por tudo isso e mais a corrida de táxi (2,15 dólares) eu lhe dei quatro dólares — ele me cumprimentou com um toque dos dedos no chapéu e me desejou boa viagem, o condutor pôs as malas dentro do vagão + eu fui embora.

5/9/57

[*O dia em que SS partiu para a Inglaterra de navio.*]

[*Depois do café da manhã com o velho amigo de adolescência Peter Haidu, na ocasião candidato a uma vaga de mestrado na Universidade Columbia.*]

Voltei a pé depressa para o hotel, subi a escada, tomei banho de chuveiro, troquei de roupa + fechei as malas. Agora eram onze horas em ponto + de repente com um estalo me dei conta de que talvez o horário marcado para a partida de navio às onze e meia fosse a sério (ao contrário do horário do navio *Newfoundland* em Boston [*o navio que SS e PR pegaram para a Europa em 1951 — a única viagem que fizeram juntos ao exterior*]). Arrastei as malas para fora, na direção do elevador, pedi a minha conta às pressas, preenchi um cheque + entrei num táxi... [Quando subi afobada pela rampa de embarque] topei com Jacob [Taubes, 1923-87, sociólogo da religião] — esperando há uma hora, disse ele. Fiquei de fato comovida — pois quem é que pode *não* ficar comovido com *gestos* de afeição. Eu o beijei + embarquei — ele continuou a acenar para mim até o navio sumir de vista.

Uma vez a bordo eu não tive paciência — estava muito transtornada + desatenta — para ficar parada no convés saboreando a silhueta de Nova York no horizonte etc., com os deslumbrados + viciados em câmera, + fiquei aliviada porque logo depois anunciaram a primeira refeição...

[*SS registrou sua estada no navio com muitos detalhes, mas as entradas são pouco mais que anotações de quando ela acordou e foi dormir, o que comeu etc. Não há entrada relativa à sua chegada à Inglaterra. Este caderno recomeça com SS já em Londres.*]

17/9/57

Acordei às nove horas. Andei depressa até o banheiro, depois voltei para a cama a fim de escrever a carta da noite passada para P. Jane [Degras] ligou às nove e meia — combinei de encontrá-la para tomar um café em Chatham House [O Royal Institute of International Affairs de Londres] por volta das onze horas. Tinha intenção de levantar para o café da manhã, mas eu *estava* à vontade demais. Escrevi uma carta para David sobre Elgin Marbles...

... Caminhei um bom pedaço [com Jane Degras e uma colega dela de Chatham House] — elas insistiram, tentando negociar — para Santo Romano na rua Old Compton 4/6 [libras/xelins] refeição completa. Pedi bife de alcatra. O prato veio, mínimo + intragável. Conversa chata. Depois do almoço deixei as duas — fui para Foyles [livraria] (bem perto); passei uma hora na seção de filosofia. Deteriorou-se enormemente de seis anos para cá. Não comprei nada.

Comecei a sentir náuseas — minha cabeça latejando. [*SS sofreu de enxaquecas graves até os trinta e poucos anos.*] Andei para a esquerda subindo a Tottenham Court Road; vi um cinema onde estava passando *A romana* e *Arroz amargo* e entrei. Vi a maior parte do primeiro e o segundo inteiro. Comprei um sorvete de baunilha horroroso entre um filme e outro.

Me senti pior quando saí às seis horas. Peguei um ônibus (#1) de volta para o hotel, troquei de roupa, fui para a cama. Dormi até as nove e meia. Ainda na cama, sintonizei o *Third Programme* + ouvi os últimos dois terços de uma tradução para o inglês da peça de Gide [adaptada do seu romance] *Os subterrâneos do Vaticano*. Isso terminou às dez e quarenta e cinco, + agora minha enxaqueca estava a todo o vapor. Eu devia ter tomado alguma coisa mais cedo, mas de algum jeito tive medo de admitir a enxaqueca. Uma das piores — nas três horas seguintes tomei cinco remédios prescritos + três pastilhas de codeína, antes de conseguir algum alívio.

Às duas da madrugada, a enxaqueca havia amainado, mas eu fiquei acordada o resto da noite como de costume. Estudei italiano durante duas horas, escrevi cartas para Minda Era, mamãe + Rosie — + um cartão para James Griffin — (peguei a caneta dele por engano no domingo). Reli o *Muirhead guide to London* + fiz um plano dos lugares aonde levaria David. Um bocado de energia nervosa despendida na leitura. Às seis da manhã comecei a redigir esta entrada do diário, + agora vou tentar dormir.

[*Durante a última semana de setembro e a primeira semana de outubro de 1957, SS e Jane Degras foram passar férias na Itália. SS fez anotações abundantes, mas na maior parte um mero registro do que viu, como eram os trens, onde as duas mulheres ficaram hospedadas e o que comeram. A única entrada que incluí é a descrição que SS faz de Florença, que ela estava vendo pela primeira vez.*]

Florença é tão linda que é loucamente irreal; a beleza das cidades modernas consiste numa sensação do seu poder, crueldade, impersonalidade, solidez, + variedade (como em Nova York ou em Londres) vista *contra* os vestígios arquitetônicos de um passado belo (como em Boston, um pouco; e muito mais em Londres, Paris, Milão), mas não é essa a beleza que encontramos aqui. Florença é inteiramente linda, ou seja, inteiramente assentada no passado, uma cidade-museu, que tem um presente (lambretas envenenadas, filmes americanos, dezenas de milhares de turistas — sobretudo americanos + alemães), porém tamanho é o esplendor, a densidade + homogeneidade estética da cidade que os elementos modernos — pelo menos a parte italiana — não destoam, não estragam nada.

A cidade não foi bombardeada durante a guerra, mas muitas casas antigas + prédios e todas as velhas pontes com a exceção da mais famosa de todas, a ponte Vecchio, foram explodidas pelos alemães quando se retiraram, em 1944. Há muitas construções novas em andamento, mas a estrutura florentina típica (telhado de telhas vermelhas, três ou quatro andares de altura, paredes brancas ou marrons de reboco, janelas compridas com venezianas que podem ser abertas num movimento rápido) está sendo preservada + respeitada em toda parte.

O clima é perfeito, quente o bastante para circular em roupa de algodão ou só de blusa, sem casaco, a qualquer hora (a temperatura não cai de noite, como na Califórnia), mas nunca fica quente. Tenho uma janela grande, dois metros e dez de comprimento, no meu quarto: deixei as venezianas totalmente abertas a noite inteira, + vou fazer a mesma coisa hoje...

... Fiquei comovida com a missa hoje à tarde na Santa Croce. De fato só existe uma religião viável no Ocidente. E o protestantismo —

como o nome é revelador; tem sentido como um protesto, em parte estético + em parte religioso (até onde as duas coisas podem ser separadas) contra o catolicismo vulgar, oriental, opressivo. Mas sem a Igreja Católica ele não tem nenhum sentido + é insípido...

[*Folha solta com data apenas de setembro de 1957*]

insuportável olhar as fotos do rosto que ela conheceu em êxtase e adormecido.

[*Sem data, a não ser 1957 — Oxford*]

Vida é suicídio, mediado.

Este pequeno cone de calor, o meu corpo — suas proteções (nariz, dedos) estão frios.

Falar de dedos frios.

A vida privada, a vida privada.

Lutar para pairar acima das minhas devoções, dos meus idealismos.

Todas as af[irmaçõe]s *não* devem ser divididas em verdadeiras + falsas. Isso pode ser feito de forma trivial. Mas então o sentido é apagado, na sua maior parte.

Ser autoconsciente. Tratar a si como se fosse um outro. Supervisionar a si mesma.

Sou preguiçosa, vã, indiscreta. Rio quando não acho graça.

Qual é o segredo para começar a escrever de repente, encontrar uma voz? Experimentar uísque. Também ficar aquecida.

15/10/57

[*SS fez anotações abundantes das aulas que teve em Oxford. Este caderno contém as anotações que fez num curso de filosofia ministrado por J. L. Austin. Essas notas não são reproduzidas aqui. Importantes no sentido pessoal, no entanto, são algumas anotações que SS fez na capa interna quando se preparava para mudar-se para Paris.*]

café crème — café com leite depois do jantar

café au lait — café com leite no desjejum

une fine (conhaque)

um Pernod (há uma variedade tão grande de Pernods como a de refrigerantes de cola nos Estados Unidos)

ir ao "Copar" Comité Parisien, rue Soufflot 15 (rua na qual fica o Panthéon) conseguir tíquetes de refeição para restaurantes de estudantes, por exemplo, o restaurante Foyer Israélite International [rue] M. Le Prince

conseguir a lista dos concertos — vale a pena a do "Jeunesses Musicales de France" (organização estudantil) — conseguir ingressos baratos para os concertos perguntar se os cinemas [e] as galerias têm uma "tarif étudiant"

[*Sem data, mas muito provavelmente do final do outono de 1957.*]

[Hieronymus] Bosch

desenho de Bosch num museu holandês: o desenho de umas árvores com duas orelhas do lado, como que ouvindo a floresta, + o solo das florestas coalhado de olhos.

A pintura falava uma língua desconhecida, mas falava de modo claro + a emoção transmitida comovia profundamente

A. E. Housman n. 26 de março de 1859

2/11/57

No final da tarde de ontem derrapei na bicicleta + fui atirada para o outro lado da calçada. Na noite passada sonhei que eu tinha uma enorme ferida no meu lado esquerdo, o sangue escorria, eu continuava a andar mas estava morrendo.

4/11/57

Experimentar uísque. Encontrar uma voz. Falar.

Em vez de explicar.

Será que os judeus estão esgotados? Tenho orgulho de ser judia. De *quê?*

[Múcio] Cévola — jovem patrício romano que ficou com a mão no fogo sem recuar.

Tiki — o deus polinésio e maori que supostamente criou o primeiro homem. Portanto ancestral, progenitor; também designa um ídolo de madeira ou de pedra feito à semelhança do homem

Charlotte Corday (1768-93) — garota que assassinou Marat (contrarrevolução)

Hathor — a deusa egípcia do amor + seus prazeres. Muitas vezes representada com cabeça, chifres ou orelhas de vaca

John Bull — GB
Tio Sam — EUA
Jean Crapaud — Fr

Orco — monstro masculino imaginário, dragão, ogro batizado com o nome de um monstro marinho morto por Orlando, em *Orlando Furioso*, de Ariosto

adventício
tostão furado (trabalho, situação)
irascível
capcioso

28/11/57

[*Folha solta encontrada entre os papéis de SS.*]

erradicação

Der Monat — Berlim
Judeus > utilitarismo

Essência da boemia é a inveja — tem de ser uma inteligência sólida à qual a boemia é periférica — só pode existir em determinadas comunidades — por exemplo, San Francisco, Nova York — +, é claro, as escolas preparatórias da boemia — Chicago (faculdade) + Black Mountain (faculdade) etc.

A moralidade instrui a experiência, não é a experiência que instrui a moralidade

Filisteu ou
"substituir a interioridade pela cultura"

erro criativo
mente extravagante — *conexões*

moralidade [menos] autointeresse = descobrir compromissos, lealdades —
uma coisa ou outra — indiferença é respaldo — nenhum pacifismo — existe o ódio justo

culto da santa prostituta:
Dostoiévski, Lovelace

Amor = morte ("dama escura", *femme fatale*):
Wagner, D. H. Lawrence

Réplica a [filosofia da "reverência à vida" de Albert] Schweitzer — Se tudo tem valor — mesmo uma formiga — se não se deve matar a formiga, se ela tem tanto valor quanto eu, então, implicitamente, eu tenho menos valor do que a formiga — As pessoas não são todas iguais, não valem o mesmo — Permitir que um mal ocorra é respaldar o mal — *Existe* a violência justa

Comunidade — fraternidade — "que bonito" — a maneira da classe média é o não desfrute, lares rompidos, traição sistemática —

Política é a arte do possível — "voto de protesto" é?

Ou é ou não é — judaísmo aristocrático — ou "um de nós" ou um dos góis [gentios — não judeus] — o perfeito ti mesmo — existe um eleito, uma elite —

29/12/57 PARIS

St. Germain des Prés. Não o mesmo que Greenwich Village, exatamente. Em primeiro lugar, expatriados (americanos, italianos, ingleses, sul-americanos, alemães) em Paris têm um papel diferente + são mais sensíveis que provincianos (por exemplo, garoto de Chicago, da Costa Oeste, do Sul) que chegam a Nova York. Nenhuma ruptura na identificação nacional, nem má identificação. A mesma língua. Sempre é possível ir para casa. E, de todo modo, a maioria dos residentes de Village são nova-iorquinos — expatriados internos, até municipais.

A rotina do café. Depois do trabalho, ou depois de tentar escrever ou pintar, a pessoa vai a um café à procura de gente conhecida. De preferência, com alguém, ou pelo menos com um ponto de encontro definido... É preferível ir a diversos cafés — média: quatro por anoitecer.

Também em Nova York (Greenwich Village) existe uma comédia compartilhada no fato de ser judeu. Isso também está faltando nessa boemia. Não tão Heimlich [acolhedor]. Em Greenwich Village, os italianos — os antecedentes proletários contra os quais os judeus desenraizados + provincianos encenam o seu virtuosismo intelectual + sexual — são pitorescos mas bastante inofensivos. Aqui, turbulentos árabes saqueadores.

[*Sem data, final de 1957: pouco depois de chegar a Paris, SS encheu um caderno com breves retratos das pessoas que estava conhecendo, o mundo no qual se movia. A descrição de Harriet não contém nenhum vestígio do relacionamento entre ambas.*]

Mark Euther — de Detroit — trinta? — usa cabelo comprido, abaixo dos ombros, porque (diz ele) cabelo comprido é lindo e os homens deviam ter permissão de ser belos, também — barba — joga xadrez e participa de torneios de xadrez em Hamburgo, Barcelona etc. — come alimentos saudáveis — enquanto em Roma no ano passado resolveu que precisava de um traje típico + fez para si seis turbantes de seda de cores diferentes + seis camisas de seda com cores que combinavam com os turbantes mais um enorme manto de veludo vermelho, como o que um bruxo de carnaval usaria...

J — quase trinta, francesa, judia — tem um filho ilegítimo — toma drogas (pó branco numa garrafa) — "Diga para Harriet que daqui a três meses eu vou para Israel" — os pais morreram num campo de concentração, ela ficou escondida — salva por uma família de gentios — cabelo preto solto, olhos pretos grandes, suéter preto, corpo miúdo. Sempre bêbada...

Herta Haussmann — alemã, pintora (mas não abstrata) — ateliê em Montparnasse com "*chien méchant*" no quintal embaixo — namorado húngaro chamado Diorka...

Ricardo Vigón — cubano: idade trinta; veio para Paris há uns oito ou dez anos; estudou na Cinemathèque dois anos, também escrevia poesia; nos últimos dois anos trabalhou como tradutor (para o espanhol) na Unesco. Teve uma fase religiosa fervorosa, + até morou por um breve tempo num convento fora de Paris. Lutou contra sua homossexualidade, depois se rendeu a ela inteiramente.

Elliot Stein — trinta e dois anos mais ou menos — de Nova York — correspondente em Paris do *Opera* (publicado em Londres) — abutre cultural com gostos vulgares *recherchés* — cinéfilo ("filme favorito": *King Kong*). Coleciona pornografia.

Iris Owens — de Nova York, vinte e oito anos, escreveu cinco pornôs sob o nome de "Harriet Daimler" — olho preto, maquiagem pesada (alguma mistura com carbono) — já foi casada uma vez... A melhor aluna da sua turma no Barnard, pensou em ir para a escola de pós-graduação em Columbia + estudar com [Lionel] Trilling. Namorado Takis (escultor grego).

Germán — mais um membro da colônia cubana. Alto. Esposa "Assumpsion" e cinco filhos. Estudou na Cinemathèque.

Sam Wolfenstein — O pai é um médico famoso + classicista amador. Irmão mais velho é figurão da física em Brookhaven...

Lutou em Israel em 1948 — ferido — manca muito — nunca recebeu nenhuma recompensa, odeia Israel.

Allen Ginsberg — Hotel na rue Gît-le-Coeur — namorado de Peter [Orlovsky] com cabelos louros compridos + cara pontuda.

Harriet. A fina flor da boemia americana. Nova York. Apartamentos da família na 70 e 80. Pai negociante de classe média (não profissional liberal). Tios comunistas. História pessoal de flerte com PC [Partido Comunista]. Criada negra. Ensino médio em Nova York, Universidade de Nova York, faculdade experimental metida a besta, San Francisco [*onde ela e SS se conheceram*], apartamento em Greenwich Village. Experiência sexual precoce, incluindo negros. Homossexualidade. Escreve contos. Promiscuidade bissexual. Paris. Mora com um pintor. Pai mudou-se para Miami. Viagens para os Estados Unidos. Tipo da expatriada que tem um emprego noturno. Escrever esgota.

Os fracassos, os intelectuais fracassados (escritores, artistas, potenciais doutores). Gente como Sam Wolfenstein [um matemático], com seu andar coxo, sua maleta, seus dias vazios, seu vício em filmes, sua pão-durice e sua mania de guardar as sobras, seu ninho familiar sem graça do qual ele foge — me aterroriza.

30/12/57

Minha relação com Harriet me deixa perplexa. Eu quero que não seja algo premeditado, reflexivo — mas a sombra das expectativas dela sobre o que é inerente a um "caso" perturba o meu equilíbrio, me deixa atrapalhada. Ela com as suas insatisfações românticas, eu com as minhas carências e aspirações românticas... Um presente inesperado: ela é linda. Na minha lembrança [*dos dias de SS na Universidade da Califórnia*] ela positivamente não era bonita, um tanto grossa e sem atrativos. Ela é tudo menos isso. E a beleza física é imensamente, de modo quase mórbido, importante para mim.

[*Sem data, fim de 1957*]

A lua, um borrão amarelo no céu — uma impressão digital amarela na noite.

Notas sobre filmes

Intimidade voyeurística da câmera.

A teoria cinematográfica da "*belle image*"— um filme é uma série de imagens lindas... versus filme comovente, inteiramente integrado.

A câmera, ao mover-se por todo lado, sutilmente nos convida a adotar um personagem + excluir um outro; olhar para cima + sentir admiração por um herói ou medo de um vilão; olhar para baixo + sentir desprezo ou piedade; um olhar para os lados da câmera nos avisa de algum problema; uma panorâmica da direita para a esquerda, invertendo a predominância do uso da mão direita que Hermann Weyl discute no seu livro sobre simetria, confere às pessoas + aos lugares uma sensação fantasmagórica.

O filme é o romance em movimento; é potencialmente o veículo menos racionalista, mais subjetivado.

31/12/57

Sobre fazer um diário.

É superficial entender o diário apenas como um receptáculo dos pensamentos privados, secretos, de alguém — como um confidente que é surdo, mudo e analfabeto. No diário eu não apenas exprimo a mim mesma de modo mais aberto do que poderia fazer com qualquer pessoa; eu me crio.

O diário é um veículo para o meu sentido de individualidade. Ele me representa como emocional e espiritualmente independente. Portanto (infelizmente) não apenas registra minha vida real, diária, mas sim — em muitos casos — oferece uma alternativa para ela.

Há muitas vezes uma contradição entre o sentido de nossas ações em relação a uma pessoa e o que dissemos que sentimos em relação a essa pessoa num diário. Mas isso não significa que aquilo que fazemos é superficial e só aquilo que confessamos para nós mesmos é profundo. Confissões, refiro-me a confissões sinceras, é claro, podem ser mais superficiais do que as ações. Tenho em mente agora aquilo que li hoje (quando fui ao B[oulevard] S[aint] G[ermain] 122 para ver se havia correspondência para ela) no diário de Harriet a meu respeito — aquela avaliação seca, injusta, impiedosa a meu respeito que conclui com ela dizendo que na verdade não gosta de mim mas que a minha paixão por ela é aceitável e oportuna. Deus sabe como isso magoa e me sinto indignada e humilhada. Raramente sabemos o que as pessoas pensam a nosso respeito (ou melhor, acham que pensam a nosso respeito)... Eu me sinto culpada por ter lido algo que não se destinava aos meus olhos? Não. Uma das principais funções (sociais) de um diário é exatamente ser lido escondido por outras pessoas, pessoas (como pais + amantes) sobre as quais o autor se mostrou cruelmente franco apenas no diário. Será que Harriet vai ler isto?

Escrever. É corruptor escrever com o intuito de moralizar, elevar os padrões morais das pessoas.

Nada me impede de ser uma escritora, a não ser a preguiça. Uma boa escritora.

Por que escrever é importante? Sobretudo por vaidade, eu suponho. Porque eu quero ser essa persona, uma escritora, e não porque exista alguma coisa que eu devo dizer. E no entanto por que não também isso? Com um pouco de construção do ego — como o *fait accompli* que este diário proporciona — eu vou superar as dificuldades para adquirir a confiança de que eu (eu) tenho algo a dizer, e que deve ser dito.

Meu "eu" é insignificante, cauteloso, sadio demais. Bons escritores são egoístas ferozes, ao ponto mesmo da estupidez. Críticos sensatos corrigem os escritores — mas sua sensatez é parasítica da faculdade criativa dos gênios.

1958

2/1/58

Pobre pequeno ego, como está se sentindo hoje? Não muito bem, eu receio — bastante machucado, ferido, traumatizado. Ondas quentes de vergonha, e tudo isso. Eu nunca tive nenhuma ilusão de que ela estivesse apaixonada por mim, mas de fato acreditei que gostava de mim.

Hoje à noite (noite passada!) na casa de Paul eu estava falando francês de verdade. Durante horas e horas, com ele e seus pais muito gentis. Como foi divertido!

... Autoestratégias.

Como fazer de minha tristeza algo mais do que um lamento

por sentimento? Como sentir? Como queimar? Como tornar metafísica a minha angústia?

Blake diz:

Se o sol e a lua duvidassem
Iriam embora na mesma hora.

Estou apavorada, embotada pelas guerras conjugais — esse combate mortal, homicida, que é o contrário, a antítese das lutas agudas e dolorosas dos amantes. Amantes brigam com facas e chicotes, marido e esposa brigam com doces envenenados, pílulas para dormir e cobertores molhados.

[*O que se segue está num diário cuja capa tem a indicação dez. 1957. Foi quase certamente escrito no início de 1958, embora o mês não esteja claro. É um relato um pouco ficcionalizado da decisão de SS de deixar o marido e de como ela foi parar em Paris via Oxford. A personagem no conto é chamada de Lee — segundo nome de SS. O marido de Lee é chamado de Martin, o nome do irmão caçula de Philip Rieff. De forma interessante, o amante parisiense, de resto inspirado em Harriet, é um homem chamado "Hazlitt", e não uma mulher, e a figura que representa Irene Fornes, que viria a se tornar a amante de SS depois de Harriet, é a amante espanhola de Hazlitt, Maria. Aqui estão reproduzidas a introdução ao conto escrita por SS e a sua primeira parte. Nos primeiros parágrafos eu misturei uma versão posterior da decisão de Lee de ir para a Europa no corpo do texto, embora no caderno isso venha acrescido ao final.*]

[*Prefácio*]

O tempo de escrever para entreter outras pessoas terminou. Não escrevo para entreter os outros, nem a mim mesma. Este livro é um instrumento, uma ferramenta — e tem de ser duro + plasmado como uma ferramenta, comprido, grosso e rude.

Este caderno não é um diário. Não é um socorro para a memória, para que assim eu possa recordar que em tal data eu vi aquele filme do Buñuel, ou como fiquei triste por causa de J, ou que Cádiz parecia linda mas Madri não.

[*Texto*]

... Ela sentiu que precisava cada vez mais de sono. Quando acordava de manhã, pensava em que horas ia deitar de novo — depois de dar aula de manhã, ou antes do seminário à tarde — ou pensava em quando ia dormir.

Ela começou a ir ao cinema.

No sexto ano do seu casamento Lee resolveu ir para o exterior por um ano + para fazer isso pediu uma bolsa de estudos. O plano, como de costume, era precário. Martin também devia viajar, mas no último momento ele recebeu uma proposta melhor para aquele ano. Ela ganhou sua bolsa. Ele implorou que ela não fosse, mas era oficial e Lee tinha o progresso da sua carreira para se respaldar. Se não fosse assim, ela jamais teria coragem de partir. Houve choro e cenas e depois, de repente, chegou a hora de partir. Houve uma noite sem dormir na qual ela finalmente deixou a cama de casal e foi dormir no quarto do filho, e então, de manhã, Martin, o filho e a babá foram embora de carro, e alguns dias depois Lee partiu para Nova York e pegou um navio.

[*Versão alternativa da decisão de partir*]

"Martin, querido", disse Lee certo dia, ao entrar no escritório dele. "Eu quero me afastar por um tempo." Martin estava com seu roupão de banho por cima de uma camiseta e de calças de algodão que não tinham sido passadas.

"Vai aonde?", perguntou ele, afastando a máquina de escrever dos joelhos com um empurrão.

"Você sabe, viajar... viajar de verdade... na Europa."

"Mas, meu anjo, já conversamos sobre isso antes. No ano que vem, quando o livro ficar pronto, nós dois vamos nos candidatar a vagas para lecionar no exterior. Está tudo acertado."

"Mas eu não posso esperar!", gritou ela. "Sempre fica para o ano que vem, e para o ano que vem, e nada acontece nunca. E a gente fica sentado nesta ratoeira virando pessoas eminentes, de meia-idade, barrigudos..." Parou, ciente de que não era "nós" o que ela queria dizer na verdade e que esse ataque era totalmente gratuito.

Quando casou com Martin, ela era uma garota empolgada, gentil e chorosa; agora era uma mulher rabugenta, fraca, sem lágrimas, cheia de uma amargura prematura... como Martin dependia dela no seu trabalho...

[*Volta para a primeira versão*]

Ela conhecia poucas pessoas em Nova York, editores, professores universitários — conhecidos de Martin e dela — mas não tinha nenhuma vontade de ver essa gente quando ficava sozinha, portanto não avisou a ninguém que estava na cidade e ninguém veio vê-la na hora em que partiu de navio. Ela acordou tarde, quase perdeu a partida do navio, às onze horas.

[*Versão alternativa da partida*]

... Ela sentia uma vontade terrível de ir à Europa, e todos os mitos da Europa ecoavam em sua mente. A Europa corrupta, a Europa cansada, a Europa amoral. Ela, que fora acostumada a ser precoce, aos vinte e quatro anos se sentia estúpida e grosseiramente inocente e queria que a inocência fosse violentada.

Vivi num sonho de inocência, ela sussurrava para si mesma, enquanto contemplava o oceano enrugado e respingado pela lua, noite após noite, no navio.

Minha inocência me faz chorar.

Sou uma paciente, disse ela. Sou o médico e a paciente ao mesmo tempo. Mas o autoconhecimento não é o remédio que prescrevo para mim. Quero todo o autoconhecimento que conseguir obter — não quero ser enganada — mas o autoconhecimento não é o objetivo que procuro. A força, a força é o que eu quero. Força para não sofrer, eu tenho isso e foi isso o que me fez fraca — mas a força para agir —

[*Volta à primeira versão*]

Primeiro ela foi à Inglaterra e passou uma temporada longa e estimulante numa universidade, misturada com alunos de graduação, fazendo trabalhos menores, redescobrindo — como se tivesse dezesseis anos — o prazer dos namoros rápidos e de morar sozinha. Mas a atmosfera era parecida demais com a que já conhecia nos Estados Unidos — o tenso carreirismo do mundo acadêmico, a tagarelice desse ambiente. Ela estava cheia de falar, de livros, da indústria intelectual, do portão acanhado por onde passam os professores.

Em dezembro ela partiu para Paris, em férias, com a intenção de voltar para Oxford em seis semanas, mas nunca voltou, e acabou tendo um caso de amor em Paris de maneira tão simples e tão sem reservas como antes, de modo simples e intransigente, havia negado sua carência sexual, durante tantos anos. O homem em Paris era tudo aquilo que Martin não era: não a amava e era totalmente carente de ternura física ou verbal. Mas ela aceitava isso por causa da sua forma de fazer amor, que era violenta, francamente sexual, e não estorvada pela personalidade.

Ah, pensava ela, estou farta dos velhos egos derretidos, generosos e dóceis — o meu próprio, inclusive; e fez grandes e generosas concessões à indiferença do amante.

Esse amante em Paris era também um americano, que morava lá já fazia quase uma década — ele mesmo era um intelectual em fuga, e profundamente anti-intelectual. Veio para Paris a fim de pintar, mas agora pintava muito pouco mas ainda vivia naquele mundo, e suas amantes foram pintoras e escultoras...

... Hazlitt falava o tempo todo das suas antigas amantes, uma pintora espanhola chamada Maria — voluptuosa, primitiva e de uma magnífica sensibilidade. Os dois foram amantes durante três anos, embora só tenham morado juntos por breves períodos. Ela deixara Hazlitt e Paris três meses antes de Judith chegar [*aqui Lee é chamada de Judith, também o nome da irmã caçula de SS*], e ele ainda estava sentimental e violentamente apaixonado por ela...

[*O texto termina no meio do conto, depois do qual há apenas a seguinte nota.*] sexualização da vida, ver o mundo por um tropo neste caso, atração sexual, aventura sexual, fracasso sexual

2/1/58

... Minha vida emocional: dialética entre aspirar à privacidade e precisar submergir num relacionamento apaixonado com um outro. Nota — com Philip eu não tive *nem uma coisa nem outra*, nem privacidade nem paixão. Nem a fortificação do ego que é conquistada apenas por meio da privacidade e da solidão, nem a esplêndida, heroica e bela perda do ego que acompanha a paixão.

Mais razões para fazer Você Sabe o Quê. Mas a razão não me levou a fazer isso, só a vontade.

3/1/58

Deixo passar este dia por ter sido doloroso demais + problemático demais para comentar. Sete anos é muito tempo, não é, meu querido? Uma vida praticamente. Eu lhe dei minha juventude, minha fraqueza, minhas esperanças, recebi de você a sua masculinidade, a sua autoconfiança, a sua força — mas não (infelizmente) as suas esperanças.

4/1/58

Noite passada, um filme incrível, *Os mestres loucos*, sobre o culto de Hauka (1927-) em Accra. O mundo como representação dramática. A imagem de uma civilização morta cerimoniosa vista por meio de um fantástico e ingênuo barbarismo *vivant*... Com esse filme africano, o sueco *Noites de circo*. A longa sequência em silêncio no início é sem dúvida uma das coisas mais fortes + belas na história do cinema — fica um pouco abaixo da sequência dos degraus da sequência da escadaria de Odessa no filme *Encouraçado Potemkin*. O resto do filme é meio que um anticlímax, ainda que seja muito bom. Closes maravilhosos do rosto do ator + as garotas.

[*Sobre Paris*]

A cidade. A cidade é um labirinto. (Nada de labirintos no campo.) Isso, entre outras coisas, me atrai.

A cidade é vertical. O campo (+ subúrbios) é horizontal.

Eu "me estabeleço" na cidade...

As artes da cidade: placas, anúncios, prédios, uniformes, espetáculos de não participantes.

A cidade se baseia no princípio de que as estações do ano (Natureza) não importam, não precisam ter importância. Por essa razão, o ar-refrigerado automático, o aquecimento central, o táxi etc. A cidade não tem estações do ano mas proporciona um contraste ainda mais incisivo entre dia + noite do que o campo. A cidade subjuga a noite (com iluminação artificial + sociabilidade artificial em bares, restaurantes, festas), ela *usa* a noite — assim como a noite fica sem uso, é um tempo negativo, no campo.

Desdobramento importante: com a chegada dos automóveis, o banimento dos animais da cidade, o que devem ter sido as cidades impregnadas com o fedor de bosta de cavalo?

Árvores crescem fora da calçada. Natureza morta, circunscrita, arrumada. O pátio de recreação feito de asfalto.

O guarda guia do labirinto, tanto quanto como um guardião da ordem civil.

Os limites da sociabilidade urbana. Privacidade (versus solidão) como uma criação distintamente urbana.

O céu, visto da cidade, é negativo — onde os prédios não estão.

Dever, Responsabilidade. Essas palavras significam *de fato* algo para mim. Contudo, uma vez que eu admita que *tenho* deveres, não fico comprometida a considerá-los como opostos às minhas inclinações? Posso admitir que tenho deveres, sem saber quais são? Posso admitir o que são tais deveres, sem descartá-los?

Compreender o mundo é vê-lo fora dos sentimentos próprios da pessoa. Essa é a diferença natural entre compreender e agir, embora essa diferença possa ser apagada — como fez Gide, na noção da "ato gratuito".

Eu rego minha mente branca com livros.

Desordem impenetrável das relações humanas.

Harriet acha que minhas virtudes são defeitos. [*Originalmente SS escreveu "vícios", depois riscou.*] (Não sou interessante o suficiente para ter vícios.) Pôr de lado todas as explicações por meio das confusões e da atitude defensiva dela mesma, será que isso é possível? Por exemplo, considerar o fenômeno da honestidade. *Por que* ser honesto? Por que essa avidez de expor a si mesma, de se tornar transparente? Destestável, se decorre da necessidade de clamar pela *piedade* dos outros.

Sentido de realidade = sentido de que as coisas devem ser como são (Spinoza, estoicos). Em mim, muito terapêutico, mas imaturo. Tive a cura antes de chegar a ficar doente.

O preço da liberdade é a infelicidade. Tenho de torcer minha alma para escrever, para ser livre.

Atitude nominalista em relação aos objetos na pintura pré--cubista.

Kandinsky não se sai muito bem quando comparado com Klee. (Exposição de aquarelas de Kandinsky + guaches, 1927--40, na tarde do último sábado da Galerie Maeght, com Harriet.) Mas, interessante: premonições + antecipações de forma distinta do século xx: a geometria das antenas de televisão, bases de lançamento de mísseis, entranhas das máquinas (mais sutil do que Léger); órbitas de satélites + espaço cósmico...

Katharine Hepburn — o cabelo puxado para trás, figura magra, até ossuda; traje sob medida com blusas de pescoço alto; atitudes resolutas; sorriso direto-tímido — é a encarnação do ideal feminista de uma mulher. (Interessante que ela sempre tenha sido a atriz predileta de Philip em Hollywood.) Se mulheres exemplarmente independentes, imagens do feminismo, são homossexuais — Garbo, Hepburn, De Beauvoir (assim Annette [Michelson, crítica de cinema e professora] afirmou hoje) — será que isso mina a causa feminista?

Harriet volta amanhã. Me sinto desesperadamente triste, com enjoo de tanta ansiedade de que isso termine. Ela não escreveu. Hoje à noite, no início de O boulevard do Crime (que vi no Bonaparte [cinema], onde a música começa alta demais, despojadamente melódica — fiquei à beira de chorar com lágrimas violentas. A primeira vez em meses que me senti capaz de chorar...

Por meio da música, recordei — condensei — a grande tristeza do filme. A cadeia de amor não satisfeito: W ama X, mas X ama Y, e Y, Y ama Z. "Eu amo você", diz Nathalie para Baptiste Debureau, "e você ama Garance, e Garance ama Frédérick." "O que a leva a dizer isso?", grita Baptiste. "Eles moram juntos." "Ah", responde Baptiste, "se todo mundo que vive junto se amasse, o mundo brilharia feito o sol!"

Já posso adivinhar a frágil expansividade de Harriet, a minha própria falta de jeito — minhas tentativas idiotas de fazer o amor dela vir à tona. Sufocar por *não* falar, não deixar as coisas claras; é suicídio falar, forçar as duas a mentir (o que ela andou fazendo) ou a ser honestas.

Será que amanhã à noite (esta noite!) ela vai dizer no telefone, quando eu ligar para ela no *Herald Trib* antes de ir ao teatro com Paul, que ela está cansada da sua viagem + que preferia ir direto para casa? Posso até ouvir a mim mesma dizendo, depois de uma ligeira pausa (*não pode* ser tão infame como aquela primeira noite sozinha, aquela segunda noite de segunda-feira em Paris), claro, sem dúvida, eu entendo... NÃO, eu não vou dizer isso. Eu não vou concordar docilmente. Se ela perguntar se eu fico sentida, pretendo responder que sim, eu fico muito sentida...

6/1/58

Harriet voltou; retomados os jogos de sexo, amor, amizade, brincadeira, melancolia. Fala de uma temporada libertina e esplêndida em Dublin. Meu Deus, ela é linda! E difícil de lidar, até no plano da sua própria duplicidade. Egoísta, tensa, sarcástica, cheia da minha cara, cheia de Paris, cheia de si mesma.

Nos hospedamos num quarto branco de teto alto no [Grand] Hôtel de l'Univers, rue Grégoire de Tours, para ficar nove dias.

Henrique IV de Pirandello na noite passada com Paul + amigos funcionários públicos. (TNP [Théâtre National Populaire]: Jean Vilar)

A despeito do fato de eu só conseguir entender mais ou menos metade das falas em francês, + de estar enjoada, enjoada de verdade lá no fundo do estômago, tamanha a minha ansiedade por causa do encontro com Harriet às doze horas, ainda sobrou espaço emocional para eu ficar profundamente comovida com a peça em si. As reflexões antiquadas de Pirandello sobre ilusão & realidade sempre me atraíram.* Também gostei da encenação radiante,

---

* Em 1979 SS viria a dirigir a peça *Como você me quer* no Teatro Stabile di Torino.

agressiva; o figurino simples à maneira de um arlequim (azul + verde, vermelho + amarelo, vermelho + azul, verde + amarelo para os quatro cortesãos; tudo vermelho para o imperador); mas não gostei tanto da representação — exceto de Vilar, que faria um excelente Ricardo II, aliás. A representação francesa no teatro — isso não é tão verdadeiro no caso dos filmes, em que predomina uma espécie de estilo "realista" internacional — é muito vistosa + extravagante. O ator começa num nível extremamente estilizado e enfático — e tem de superar isso, chegando mesmo a se tornar um pouco histérico, a fim de representar uma emoção violenta.

Máscara nenhuma é uma máscara completa. Escritores e psicólogos têm explorado o rosto-enquanto-máscara. Não tão bem examinado: a máscara-enquanto-rosto. Algumas pessoas, sem dúvida, usam suas máscaras como invólucro para as emoções ágeis, mas insuportáveis, que estão por baixo. Mas a maioria das pessoas, seguramente, usa uma máscara para apagar o que está embaixo, e se torna apenas aquilo que a máscara representa que elas são.

Mais interessante do que a máscara como esconderijo ou disfarce é a máscara como projeção, como aspiração. Por meio da máscara do meu comportamento, eu não protejo o meu eu autêntico e em estado bruto — eu o subjugo.

Conversa comprida e meio embriagada na tarde de sábado com Annette Michelson, sobretudo a respeito de casamento. Eu estava tentando descrever para ela a inocência de P e citei como exemplo a insistência dele para que eu passasse só um curto período em Oxford + o restante do ano em Paris. "Vá para Paris, deve ser bem divertido." Annette imediatamente compreendeu,

+ retrucou: "Ele não sabe, portanto, ele está cortando o próprio pescoço".

Sonhei na noite passada com um David lindo e maduro aos oito anos mais ou menos, com quem eu falava, de forma eloquente e indiscreta, acerca dos meus becos sem saída emocionais, como a mamãe falava comigo — quando eu tinha nove, dez, onze anos... Ele se mostrou tão solidário que senti uma grande paz ao me explicar para ele.

Quase nunca sonho com David, e nem penso muito nele. David fez poucas incursões na minha vida de fantasia. Quando estou com ele, eu o adoro completamente e sem ambivalência. Quando vou embora, contanto que saiba que estão cuidando bem dele, David se apaga depressa. Entre todas as pessoas que amei, ele é menos que tudo um objeto do amor *mental*, sobretudo intensamente real.

O prédio do TNP é como a gente imagina que seria um Palácio Soviético do Repouso e da Cultura. Imenso, vulgar, dispendioso, com paredes de mármore e vitrais, enormes escadarias e escadas rolantes, tetos incrivelmente altos, balaustradas de bronze e murais gigantescos. É o maior teatro de Paris, diz Paul. Depois da peça, + antes de eu ir ao encontro de Harriet, ficamos na grande praça entre os flancos do Palais de Chaillot, olhando para a Torre Eiffel, que fica plantada bem na frente de uma paisagem desimpedida — a Torre heroicamente grande + preta e perfeitamente articulada contra o fundo do lindo céu da noite de nuvens brancas inquietas e de luar generoso.

7/1/58

Harriet extremamente distante, hostil, absorta.

Reflexões sobre o inferno, causadas pela ópera *Don Giovanni*, de visual soberbo, musicalmente mais ou menos, a que assisti ontem à noite no Opéra. Ideia de inferno & ideia de que o universo tem uma lata de lixo, uma unidade automática de descarte. O inferno parecia *justo* para os R. C., os calvinistas; *não caridoso*, para os protestantes posteriores. Será que a insistência na justiça (julgamento) acabará diluída pela demanda por caridade?

Ideia de uma vida após a morte, inclusive o inferno, exigida pela teologia religiosa? A contabilidade moral requer um ajuste de contas. Certas empresas prosperam, outras são consideradas falidas ou fraudulentas ou as duas coisas — e deve haver penalidades + recompensas, pois a vida é coisa *séria*. É fácil ver como a virtude da justiça, + as artes + escrúpulos de julgar andam de par com uma atitude séria em relação à vida — menos fácil ver que a caridade é coisa séria, porque boa parte do comportamento que é objetivamente caridoso decorre da indiferença e de uma incapacidade de indignação moral.

Lembro uma conversa com Herbert Hart na primavera passada em Cambridge [Massachusetts] (parada na frente da livraria Schoenhof na avenida Massachusetts, depois de uma palestra dele) sobre os julgamentos de Nuremberg, que ele cortou dizendo: "Eu mesmo não gosto muito dessa história de julgar". Pareceu absurdo, indecente!

Suponho que seja muito protestante achar que a religião tem de ser coisa séria, senão não é religião. Existe a graça do hassidismo, o esteticismo + bagunça do ritual hindu que [E. M.] Forster descreve.

Seriedade é de fato uma virtude para mim, uma das poucas que aceito existencialmente e aceitarei emocionalmente. Adoro ser gozadora e negligente, mas isso só tem sentido contra o fundo do imperativo da seriedade.

8/1/58

O que eu necessito [*SS escreveu originalmente "quero", depois riscou*], como escritora, é (1) inventividade e (2) o poder de manter de pé um sentido exato. Harriet foi para seu quarto hoje depois que levantamos, antes do almoço. Passei o final da tarde explorando a Sorbonne, + a hora anterior ao jantar vendo *Os quatro batutas* [dos Irmãos Marx] no Celtic.

Uma enxurrada (cinco!) de cartas — comoventes, carinhosas, sentimentais — de Philip, que me espera hoje no American Express.

9/1/58

P foi despedido de Brandeis, e eu nem sei o que sentir. Alívio por não estar com ele + ter de dar conselhos, exortar, consolar... Compaixão para as aflições que deve estar passando... Um leve sentimento de medo pela maneira como a minha vida, de aspecto sólido, parece estar se partindo debaixo dos meus pés — tudo me pressiona para decidir, agir, deixá-lo, quando eu voltar.

Com Harriet, a coisa parece ir melhor — mas, afinal, eu *não consigo* saber a respeito das semanas anteriores a Dublin, e antes eu era muito jovem.

Ontem, jantar (Charpentier) + *Britânico* [de Racine] ([no Théâtre du] Vieux Colombier com Annette Michelson, que estava mais arcaica + artificial que de hábito. Ela não gosta nem um pouco de Harriet e portanto eu não gosto dela. Racine é mais estrangeiro do que as peças *kabuki* — emoções são externalizadas, matemáticas. A peça consiste numa série de confrontos de dois ou no máximo três personagens (nem sombra do desperdício de Shakespeare!); o veículo intelectual não é nem o diálogo nem o solilóquio, mas algo intermediário, que acho desagradável — o discurso. Sem movimento, sem poses.

Marguerite Jamois, que foi Agripina, parece muito imponente + teatral — uma espécie de Edith Sitwell ideal.

Harriet torturantemente atrasada na noite passada. Era para ela vir direto para o quarto, e não chegar às duas e quinze... Fiquei na janela + olhando para baixo, para a rua estreita, via um mendigo, dois gatos, um homem que andava para lá e para cá + afinal ficou parado na porta ao lado da "*crémerie*", à espera de alguém — e prestando atenção nos passos, que durante uma hora + meia, não eram os dela.

12/1/58

Logo que Harriet saiu para o trabalho, voltei para o hotel para trocar de roupa antes de encontrar Irving Jaffe no [café] Old Navy às sete e meia. Harriet está linda, relaxada, carinhosa. Eu — atordoada de paixão e de necessidade dela, e feliz... Meu Deus, basta pouca coisa para me deixar feliz. No entanto isso *não* é tudo e eu faço uma injustiça com ela e comigo mesma quando digo isso. É ela, é ela, é ela.

Sexta-feira à noite, um medíocre *O cavaleiro da rosa*, eu, sozinha, deslizando na crista da onda de uma fantasia erótica, o fluxo da música deslumbrante e familiar... depois encontrei Harriet no [Café] Flore e tomei uns cinco uísques mais ou menos no Club St. Germain e no Tabou. Não fiquei muito alta com a bebida, mas o bastante para me envolver com o jazz mais ou menos que estávamos ouvindo no St. Germain e com o sexo excelente que fizemos quase ao raiar do dia, na cama.

Já resolvi me embriagar no final da tarde, depois das notícias que chegaram dos Estados Unidos. Tomei uma bebida num bar dos Champs-Élysées antes de irmos ver um filme, *L'Alibi*, com [Erich] Von Stroheim, [Louis] Jouvet + Roger Blin. Depois andei na chuva até o Opéra, sem jantar.

Sábado, ontem, dormimos tarde, comemos no grego vizinho da gente, esperamos um pouco por Ricardo no Old Navy, pegamos o rádio + sapatos. Harriet pediu uma calça; depois foi para um coquetel do [*Herald*] *Tribune* + eu fui passar algumas horas não programadas com Han (não gosto dele) e Monique (não consigo saber qual é a dela). Encontrei Harriet no quarto dela às nove horas. Grande jantar no Beaux-Arts. Uma hora para juntar gente — Paola + Bruno, Han + Monique — + depois fomos de carro para a festa do *Tribune* que era mais tarde e mais "séria" que o coquetel. Bruno estava um absurdo e quase estragou tudo. Aquela loura atarracada, emperiquitada demais, Hilary — mais ou menos amiga de Harriet —, me passou uma tremenda cantada, de que gostei muito. Não me senti atraída por ela, mas foi muito bom estar em casa, por assim dizer — ter mulheres, em vez de homens, interessadas em mim... Quando saímos, Han roubou uma cadeira... Ah, e Monique + eu tivemos uma grande conversa mais íntima sobre sexo, amor, mulheres, homens, o marido dela, a minha amante...

Dormi até as três hoje. Sanduíche abominável no Old Navy. Gente horrível que se juntou a nós — Diego, Evelyn, Londyn. Harriet parecia especialmente amável esta noite, vestiu-se e foi para o *Tribune*.

8/2/58

Hora de romper este silêncio — De certo modo, este diário ficou enfeitiçado, *au fond* [no fundo] eu sentia que ele estava destinado a registrar uma *bonheur* [felicidade] verdadeira, e quando tudo começou a desmoronar, no dia do meu aniversário, quando a gente se mudou para o Hôtel de Poitou, o impulso de escrever no diário se extinguiu.

O que aconteceu, o colapso total do meu caso com Harriet, foi tão repentino que nem consegui acreditar que era mesmo aquilo que parecia ser. Noite de quarta-feira — *Tempos modernos* [de Chaplin], e o fato de ela chegar cedo, de estar lá à meia-noite, no Flore, e ir ao Club 55, e de os presentes dela estarem à minha espera no quarto, e acima de tudo o fato de Harriet se mostrar carinhosa de verdade *comigo* — tudo isso foi tão lindo; eu estava cheia de alegria — não que eu enganasse a mim mesma acreditando que ela me amava como eu a amo, mas pensei que ela estava um pouco feliz no nosso relacionamento, que ela gostava de mim, que estávamos bem, juntas. Quinta-feira nos mudamos — e sexta-feira de noite, no Lapérouse e no teatro (*Esta noite se improvisa*, de Pirandello), foi uma espécie de inferno como eu poucas vezes na vida tive de suportar. Eu me senti andando às cegas no meio de uma floresta de dor, meus olhos trancados com força por dentro, no empenho de não chorar. (Quase chorei, como no Lapérouse.) Depois, na sexta--feira, no sábado, no domingo, neste hotel, + mais do mesmo — eu sem fala, estupefata, que nem um bicho, com dor — e ela me atacando o tempo todo por ser melancólica, egoísta, temperamental, uma chata...

Domingo de tarde, a caminhada até a Île St. Louis — domingo de noite, uma viagem num avião chique, sacolejante, acossado pela neve, rumo a Londres — e depois aquela semana louca de preparativos para o meu regresso à França, durante a qual eu não estava nem aqui (em Paris) nem lá, emocionalmente, mas sim em suspenso — ainda incrédula.

Noite de domingo — 26 de janeiro — voltei, um voo maçante, interminável, parecia, arrastei minhas malas para o quarto, lá em cima — já era uma e meia da madrugada — para encontrar Harriet igual a antes, e eu mesma tão desesperada e triste que nem consegui beijá-la. Eu fiquei menstruada quatro dias antes de partir, ela ficou menstruada quatro, cinco dias (ela me deu a entender) depois do meu regresso. Nada de sexo, e pior ainda, a maneira como ela afasta o corpo de mim a qualquer toque meu na cama...

Desde então, faz treze dias que voltei, a gente fez amor três ou quatro vezes — uma vez, na última noite de domingo, de um modo maravilhoso. Uma vez desde então. Toda tarde ela trabalha no seu quarto no Boulevard S[t.] G[ermain] 226.

É tarde de sábado, ela está num jantar com amigos; o anfitrião, alguém chamado Sidney Leach, é responsável por arranjar para ela esse emprego de tradução, assim ela pode sair do *Tribune*. Dez horas. Devo encontrá-la às onze horas no Old Navy.

Não jantei. Lendo *As confissões de Zeno* [de Italo Svevo], que me comove e impressiona profundamente.

Tenho de dizer isto mais uma vez para mim mesma. Acabou. No sentido verdadeiro: não que Harriet não me ame mais, pois ela nunca me amou, mas sim no sentido de que ela não joga mais o jogo do amor. Ela não me amava, mas nós *éramos* amantes. Não somos mais, não fomos desde que nos mudamos para este maldito quarto de hotel, perturbada com os seus fantasmas, com as suas lembranças de Irene [Fornes]. O que me deixa louca é que ela passou a me desprezar, de verdade, e não sente a menor necessidade de esconder isso. É francamente rude, como quando bateu a porta na minha cara, na sexta-feira, no Beaux-Arts, depois que almoçamos lá. Insultos, empurrões, caretas. E nem uma palavra de afeto, nem um único abraço ou aperto de mão ou olhar de ternura. Em suma, ela acha o nosso relacionamento um absurdo, nem gosta mais de mim nem me deseja mais sexualmente. E de fato é um absurdo.

... Uma crucificação, estas duas últimas semanas... devo merecer isso. O amor é ridículo. Me sinto continuamente ansiosa + tonta; na verdade cheguei a ter febre na última terça-feira à noite e fiquei de cama — com algumas provisões trazidas por Harriet antes de ela sair ao meio-dia — o dia inteiro na quarta-feira.

Mon coeur blessé... [meu coração ferido]

E quinta-feira à tarde fui convidada para ir ao quarto dela, o quarto de Irene (*os dois* quartos são dela, e de Irene), para dar uma ajuda, revisar a tradução. Ah, Deus, não quero nem lembrar! E aquela noite, caminhando na neve — tão quente, tão quente — e encontrar Hilary + John Flint + depois a algazarra no Monaco, e nosso encontro às doze e trinta no Deux Magots — tão cega + apaixonada e de estômago virado que mal conseguia me aguentar em pé.

Ontem foi melhor, a tarde inteira com Monique + Irving — eu de fato esqueci um pouco, consegui escapar um pouco do meu maldito eu naufragado por meio do esforço intelectual de falar francês. Mas depois! Harriet entrou numa de introspecção e de conselhos à la St. Germain des Prés com sua amiga Reggie. E aquela "festa" indescritível em Passy das quatro às seis...

Encare os fatos, menina. Já era...

Harriet acha que está decadente porque entrou num relacionamento que não a interessa nem física nem emocionalmente. Então até que ponto eu estou decadente, eu que sei como ela se sente de fato, e ainda assim a quero?

"eles acham... que esse amante cometeu o erro imperdoável de não ser capaz de existir — e eles acabaram com um simulacro nas mãos." (*No bosque da noite*)

15/2/58

Não sei se me sinto melhor, ou se fiquei insensível. Mas há paz em estar segura, mesmo em estar segura de alguma grande fatalidade ou rejeição. Acho que me sinto melhor. Olho para tudo pelo lado oposto — em vez de esperar tudo e me ver afundada no desespero toda vez que consigo menos, eu agora não espero nada e, no final, consigo um pouco, e fico mais do que um pouco feliz.

Dei para Harriet *Collected works* de Nathanael West, e comecei *A vida alucinada de Balso Snell*, que é engraçado, doloroso e muito legal. Terminei *Zeno*.

P em Nova York, em busca de um emprego, de forma inepta. Acho cada vez mais maçante escrever, parei de escrever todos os dias, carrego cartas escritas até a metade amarrotadas dentro do bolso do meu casaco de pele de burro durante dias.

A ideia de voltar à minha vida antiga — isso já nem me parece mais um dilema. Não posso, não vou. Posso dizer isso sem tensão.

O conta-gotas e o gotejado, o *tombeuse* e o *tombé*. Como é duro enfiar a minha mão na cortina de teias de aranhas. Todos esses anos e não consegui fazer isso, não tive a força de vontade.

E agora é tão fácil — já estou do outro lado, de onde é impossível voltar.

Casamento é uma espécie de caçada tácita em casais. O mundo inteiro em casais, cada casal na sua própria casinha, tratando dos seus próprios e pequenos interesses + cuidando da sua própria privacidadezinha — é a coisa mais repulsiva do mundo. É preciso livrar-se da *exclusividade* do amor casado.

19/2/58

Harriet disse algo muito impressionante ontem, a propósito da imensa biblioteca de Sam W., que colecionar livros daquele modo era "como casar com uma pessoa para dormir com ela".

Verdade...

Use bibliotecas!

Alugamos o apartamento de Wolfenstein por dois meses — eu ainda não consigo imaginar por que ela quer morar comigo, sentindo o que sente...

... Ontem (fim da tarde) fui ao meu primeiro coquetel em Paris, na casa de Jean Wahl [*1888-1974, professor de filosofia na Sorbonne*] — na companhia repulsiva de Allan Bloom. Wahl satisfez muito bem as minhas expectativas — um velho miúdo, esguio, jeito de pássaro, com um cabelo branco escorrido e boca larga e fina, muito bonito, como Jean-Louis Barrault será aos sessenta e cinco anos, mas terrivelmente *distrait* [desatento] e desleixado. Terno preto e folgado com três buracos grandes na parte de trás, através dos quais se podia ver sua roupa de baixo (branca), + ele tinha acabado de chegar de uma aula no final da tarde — sobre [Paul] Claudel — na Sorbonne. Tem uma esposa tunisiana alta e simpática (com rosto redondo e cabelo preto preso e bem puxado para trás) com metade da idade dele, entre trinta e cinco e quarenta anos, eu acho, + três ou quatro filhos muito pequenos. Também estavam lá Giorgio de Santillana [*historiador da ciência no MIT*]; dois artistas japoneses; velhas senhoras magras de chapéu de pele; um homem da [revista] *Preuves*; crianças de médio porte que vieram diretamente do Balthus em trajes de carnaval; um homem que parecia Jean-Paul Sartre; e uma porção de outras pessoas cujos nomes não significavam nada para mim. Conversei com Wahl e De Santillana + (inevitavelmente) com Bloom. O apartamento, que fica na rue Peletier, é fantástico — todas as paredes estão desenhadas + rabiscadas + pintadas pelas crianças e por artistas amigos — há mobília africana escura e entalhada, dez mil livros, pesadas toalhas de mesa, flores, pinturas, brinquedos, frutas — uma desordem muito bonita, eu achei.

20/2/58

Sobre aquela pornógrafa judia sem nenhuma timidez que *s'appele* [sic] Harriet Daimler: "Ela é uma ultramoderna. Não fica inibida".

Minha mente me ilude. Preciso apanhá-la desprevenida, pelas costas, no ato de falar.

As noites são a pior parte. O tormento de ficar deitada, sem dormir, ao lado do corpo pelo qual se tem um desejo fora do comum, e não ser capaz de romper a barreira, de despertar o desejo em retribuição. Lado a lado. Ou como colheres. Cuidado para não tocar! Sentimento horrível horrível de "*déjà été*", pois eu de fato desejei Philip tremendamente ao longo do primeiro ano.

O que mais me incomoda, de longe, é a rejeição física por mim que Harriet sente. Nesta altura, eu aceitaria qualquer atitude, qualquer coisa que ela pensasse de mim — até mesmo uma fervorosa aversão — se houvesse calor sexual entre nós. Mas sem isso, eu não estarei sendo *de fato* masoquista se quiser continuar a morar com ela? Amor a que preço? Não gosto nem um pouco do papel em que fui cair, e também não gosto da variedade de sadismo frívolo que ela tem. Nos últimos dias, por diversas vezes, estive à beira de sacudi-la pelos ombros. Quero esbofeteá-la — não destruí-la nem apagá-la (e esse é o sentido por trás dos empurrões e trancos que *ela* dá em mim), mas forçá-la de fato a olhar para mim, com ódio se for preciso, forçá-la a terminar essa estupidez de vida com corações e corpos extraviados uns dos outros...

> "E eu não fechei os meus olhos com a persiana adicional da noite e pus a mão para fora? E é a mesma coisa com as moças, aquelas que trocam o dia pela noite, as jovens, as viciadas em drogas, as perdulárias, as embriagadas e a mais desgraçada de todas, a amante que fica a noite inteira acordada, em temor e angústia. Essas nunca mais podem viver a vida do dia..." (*No bosque da noite*)

21/2/58

O círculo de giz caucasiano [de Brecht] numa montagem um tanto pirandellizada, na noite passada (com Paul): gostei do efeito de estilização — a música (tambor, pratos, flauta, violão) com sua forma tosca de sublinhar a ação; as máscaras brilhantes, com dois terços do comprimento da cara, que cobrem só do lábio superior para cima e assim exageram a boca; o palco inclinado e acessórios improvisados (os atores trazem seus próprios acessórios para a cena, como no teatro chinês), o expediente do narrador e o charme geral do *dédoublement* [desdobramento], da peça dentro da peça...

Pirandello, Brecht, Genet — para os três, de maneiras exemplares e contrastantes, o tema do teatro é — o teatro. Quanto aos pintores da Action Painting, o tema da pintura é a ação do pintor. Comparar *Esta noite se improvisa* [de Pirandello], *As criadas* [de Genet], *O círculo de giz caucasiano*... Para mim, esse é o interesse de Brecht, embora seus enredos sejam de uma propital simplicidade infantil e folclórica, e ele *tenha a intenção* de ensinar sua plateia a respeito do mundo, da justiça etc.

A nova peça de Genet, a que ele está revendo agora, usa — e toda ela trata de — telas. Os personagens desenham sobre telas, prendem coisas nas telas, projetam suas personalidades secretas enquanto ao mesmo tempo tomam parte em uma ação "realista". Uma versão nova, visual do solilóquio...

A tela + a máscara, como quadro-negro.

Não gosto de peças didáticas. Mas gosto de peças filosóficas, divertidas.

Peças psicológicas? Aí está uma questão mais difícil. Talvez os franceses tenham razão em não gostar de peças psicológicas, romances psicológicos, psicologia — à maneira anglo-americana e alemã — em geral.

O ideal de peças em que a percepção psicológica é inteiramente exteriorizada, cf. Artaud: "... *Il s'agit donc, pour le théâtre, de créer une métaphysique de la parole, du geste, de l'expression, en vue de l'arracher à son piétinement psychologique et humain.*" [... Trata-se, para o teatro, de criar uma metafísica da palavra, do gesto, da expressão, com o objetivo de arrancá-lo de seu padrão psicológico e humano.]

23/2/58

Chez Wolfenstein — sensação de que um fardo enorme, insuportável, foi erguido. Harriet, a quem eu amo — é linda, linda. Ela pode? Será que quer ser um pouco feliz comigo aqui?... Chegamos aqui ontem à tarde, e comemos, dançamos ao som do disco de Ricardo [Vigón], e saímos de noite com os italianos (Terry, Pia) para Trois Fontaines e depois para o [Café de] Tournon. No Tournon: o encanto de Harriet embriagada, falando, rindo, jogando nas máquinas de *pinball*; Han; aquele israelense que me namorou; o Negro tem um encontro com [lacuna] para a terça-feira...

... Minha ambição — ou meu consolo — foi *entender* a vida. (Ideia equivocada da espiritualidade de uma escritora?) Agora quero simplesmente aprender a viver com isso. Entre outras coisas, a extraordinária autoconsciência destrutiva de Harriet e a sua consciência dos outros me ensinam isso. Daí vem o seu faro para a saciedade...

Tentei dizer isso ontem — anteontem? — mas como de costume não consegui. Ela sempre discorda das minhas ideias, daquilo que considera minha intelectualidade. Quer acreditar que *ela* é anti-intelectual.

"faminta de boca, não faminta de estômago..."

25/2/58

Uma noite de leitura, zelosa redação de cartas, privacidade e equilíbrio.

Joanne Chatelin aqui esta tarde. Antes de ela vir fui de metrô ao American Express pegar a correspondência. Fiquei duas semanas sem fazer isso — o mais longo intervalo até agora. Com uma crescente inadimplência na minha redação de cartas para Philip, há uma crescente relutância, até aversão, em pegar e ler as cartas dele para mim. Mas o lote de hoje continha a ótima surpresa da sua indicação quase certa para Berkeley. Como isso casaria bem com a minha própria decisão. Tenho de ser capaz de não criar desculpas para mim mesma...

Tenho pensado muito em P — na sua timidez, seu sentimentalismo, seu baixo vigor, sua inocência. Existe um tipo — o macho virgem — há uma porção deles na Inglaterra, eu imagino. Tem tanto apego ao seu santuário doméstico, a David e a mim, e tão pouco por qualquer outra pessoa — Depois eu quebrei o encanto de piedade e dependência que o unia aos pais. Tal vida, tal temperamento, não é fácil de consertar quando sofre uma avaria. P é um sangrador, de fato fisicamente, e também emocionalmente. Não vai morrer por causa dessa mágoa, mas também nunca mais vai se recuperar.

Ficar na defensiva convida, incita a outra pessoa a atacar. Lembrar!! X olha de forma amorosa e abjeta para Y; Y fica irritada erguendo autocensuras, que são tidas como imerecidas; portanto Y se sente compelida a ser brutal com X.

Sadismo, hostilidade, um elemento essencial no amor. Portanto é importante que o amor seja uma *transação* de hostilidades.

Lição: não se render ao coração de alguém no qual não se é querido.

26/2/58

Capricórnio [*signo astrológico de SS*] prefere amizade a um caso de amor morno e sem paixão. Essa foi a dádiva de Harriet para mim na noite passada no Tabou, pronunciada com a maior cara risonha...

Capricórnio não prefere nem uma coisa nem outra. Não teve nem um nem outro. Detesta as duas coisas.

Como isso *de fato* se aplica, Harriet? Talvez a você? Mas nem um pouco a mim.

Sua insaciabilidade, querida Harriet, é apenas a maneira consoladora como seu talento para a saciedade aparece para você. Nunca obter aquilo que se quer *é* nunca querer (por muito tempo) aquilo que se obtém — exceto, às vezes, quando é tomado à força.

26/2/58

... Ouvi Simone de Beauvoir falar sobre o romance (ele ainda é possível) na noite passada na Sorbonne (com Jaffe). Ela é magra, tensa, cabelo preto e muito bonita para a idade, mas sua voz é desagradável, algo entre o registro agudo + a velocidade nervosa com que fala...

No final da tarde li Carson McCullers, *Reflexos nuns olhos de ouro*. Refinado, de fato econômico e "escrito", mas eu não vou procurar motivação na apatia, na catatonia, na empatia animal... (Num romance, bem entendido!)

27/2/58

Lindo concerto na Sorbonne esta noite — [Concerto de] Brandenburgo nº 6, Concerto para Violino de Beethoven (Georges Tessier), duas árias de Mozart ("Dalla sua pace" + uma outra), + a *Missa da coroação* nº 15.

... "Essa relação falsa e perigosa." Mais falsa, mais perigosa para mim do que para Harriet. Para mim é verdadeira. Para Harriet, só uma aparência insatisfatória que ela mantém com apenas um quarto da sua atenção — enquanto se lamenta pela falta da sua Irene.

Lendo *Living my life*, de Emma Goldman...

1º/3/58

O nadir da minha relação com Harriet. A incrível brutalidade no seu jeito de fazer amor na noite de quinta-feira — completo estranhamento ontem... Será que eu não sei o que deu errado? Eu devia fazer a mim mesma algumas perguntas etc. etc. Fugi, chorando, para o metrô às quatro horas — mergulhei num cinema (*Grand Hotel*, Garbo, Crawford); voltei ao Old Navy para um encontro com Monique, Han também estava lá; jantar no Gaudeamus, fiquei bêbada com *slivovitz* [conhaque de ameixa], não conseguia ouvir mais nada; de volta aos Champs-Élysées para um outro filme (*Témoin à charge* [*Testemunha de acusação*]) — ainda não conseguia ouvir nada, nem prestar atenção; entrei no metrô à meia-noite com Han + Monique + depois de forma tola e vergonhosa fui às pressas para a Concorde para pegar um táxi para o Old

Navy, onde falei que estaria — na esperança de que ela fosse também, sabendo que ela não iria, não estaria lá...

24/3/58

Parar de reservar este diário tão exclusivamente para a cronologia do meu caso com Harriet! Imagem de uma imagem de uma imagem... Já chega — ou melhor, é demais — que eu a ame, que eu tenha um prazer enorme em apenas olhar para ela, que uma vez ou outra, lá de vez em quando, a gente faça amor, e bem... mas registrar todos os altos e baixos de certo modo os falsifica, e eu começo a me iludir e a achar que tudo isso é, ou pode ser, real. Chega de jogar esse jogo, ou de tentar jogar. É um erro contar os pontos do placar...

... Nos damos bem, quando de fato nos damos bem, só quando ela — ou nós duas — está bêbada. Como ela precisava estar bêbada naquela manhãzinha de domingo, há três semanas, quando ela + eu e Paula + Jerry voltamos para cá, fomos para a cama e ela me bateu na cara, arranhou minhas costas e gritou que me odiava + eu a deixei indignada, e fiquei soluçando e tentei contra-atacar e não consegui na verdade... E então durante cinco dias tudo ficou bem e nós fomos amantes outra vez, como não éramos desde dezembro no quarto do Vidal — mas no final da semana, na hora da festa em 8 de março, acabou. O hematoma no meu rosto clareou e finalmente sumiu de todo, e assim também sumiu o calor sexual entre nós, e a rara conjunção de nossas imaginações. Brilhou mais uma vez no dia seguinte, na soirée em casa de Marie-Pierre, e depois morreu para sempre.

... Um filme incrível, *Esposas ingênuas*, de Stroheim, na Cine-mathèque, na noite passada. Um filme de Don Juan, com a linda visão lasciva de Stroheim, o deslumbrante figurino militar e sexy, as maneiras sádicas. Volúpia não é um tema aceito nos filmes americanos — e esse homem foi assistente de [D. W.] Griffith!

15/4/58

Depois de duas semanas na Espanha (Madri, Sevilha, Cádiz, Tânger) estou de volta a Paris... Por que não dei seguimento a este diário? Porque sabia que Harriet estava escrevendo o seu diário e parecia tão grotesca a visão de nós duas partilhando o mesmo quarto de hotel e escrevendo, uma diante da outra — inventando os nossos eus privados, matizando os nossos infernos privados...

As coisas foram melhores + também piores do que eu esperava — Não discutimos (exceto naquele dia absurdo em Sevilha, depois que ela fez amor comigo de tarde, e o meu rosto me traiu, o meu desespero + sentimento de ser completamente rejeitada, e ela preferiu tomar isso como uma rejeição a ela) nem ficamos próximas de fato... Não consegui me livrar da consciência da sua infelicidade, de como a Espanha e falar espanhol lhe trouxeram de volta à memória a sua vida com Irene. Ficamos cerimoniosas e muito separadas...

... A *corrida* em Sevilha, a maneira como as minhas entranhas viraram pelo avesso quando o primeiro touro caiu na areia. Terça-feira em Madri, a maneira como as pinturas de Bosch e a música flamenga ficaram fervendo a noite inteira dentro da minha cabeça... Os capacetes de estilo nazista dos soldados que marchavam em alguns desfiles em Sevilha.

Meu calcanhar esquerdo doendo, esfolado por causa dos sapatos novos que comprei um dia antes de partir — o bar de *tapas* perto da Carrera San Jerónimo — o pesadelo da viagem de terceira classe para Sevilha com seis imundos, obscenos *"vitelloni"* espanhóis ("Norman Mailer", "O Caixeiro-Viajante", "Clark Gable", "O Amigo Gordo", o enrugado no banco da janela do outro lado com a *"bota"* [odre de vinho]) —

Esperando na ponte Triana no sábado à tarde pelo *"paso"* [*balsa de madeira usada nas procissões da Semana Santa*] que nunca chegava — senti fome o tempo todo, acho que foi porque eu estava ansiosa e continuamente em dúvida sobre se devia mesmo ter vindo e sôfrega + triste + curtindo tudo isso ao mesmo tempo — uma mistura de sentimentos perturbadora...

Comprei tênis no final da tarde de quarta-feira em Madri — O cheiro do incenso & pipoca durante as procissões.

Cádiz foi a mais bela cidade que vi na Espanha — o centro muito limpo e moderno com um toque de pobreza triste e linda ao longo do quebra-mar. Uma cidade de praças simpáticas mas modestas, muitas ruas estreitas de pedestres, crianças e marinheiros, e o mar, o sol.

— Nossas caminhadas pela beira do quebra-mar, e as crianças de pernas nuas que nos seguiam.

— O jovem garçom gorducho no restaurante em nossa primeira noite em Cádiz que quis marcar um encontro com Harriet.

— Fomos para o nosso hotel numa charrete puxada por cavalos.

A viagem de ônibus de Cádiz para Algeciras quando Harriet me contou a respeito do apelido ("Pup", de Pulpo) que Irene + ela usavam para chamar uma à outra — depois ficou zangada comigo + consigo mesma por ter revelado essa intimidade.

Comendo camarões no café do porto em Algeciras...

Harriet aborrecida comigo porque fiquei empolgada no barco ao avistar Gibraltar.

... O casal de lésbicas em Tânger — Sandy, loura magra machona com pinta de colegial, e Mary, narigão e peitos grandes, portuguesa.

... A carteira de couro marrom com um carimbo dourado que Harriet comprou no Socco — Bebida com chá de menta + ouvir três músicos árabes de cócoras no meio do chão, no café do palácio do sultão.

Os cheiros de Sevilha — incenso, pipoca, jasmim e "churros".

20/4/58

Banalidade e dominação — é isso o que eu escrevi em resposta na Universidade de Connecticut [*quando SS lecionava lá, alguns anos antes*] e estava certa...

Uma aristocracia da sensibilidade bem como uma aristocracia do intelecto. Não gosto nem um pouco de ser tratada como uma plebeia!

Tem de ter bastante ego para suportar a minha sensibilidade. Se eu fosse sensível (i.e., mostrasse a minha consciência do estado de ânimo de Harriet, aquilo que ela de fato pensa a meu respeito), *nunca* me atreveria a abraçá-la...

Estar apaixonada — essa sensação sutil entusiasmada inesquecível da singularidade do outro. Não existe nada como ela, ninguém dança como ela, é triste como ela, é eloquente como ela, é tola e vulgar como ela...

Estou cheia da presença de Barbara. Amo Harriet apaixonadamente demais, sexualmente demais para não me ofender — cada vez mais — com essas três irmãs, a cena de cabaré da garota alta, muito embora a *presença* de Barbara distraia Harriet + talvez torne Harriet menos impaciente comigo.

26/4/58

Enjoada, febril, perdendo o domínio de mim mesma. Essa paixão é uma doença! Justamente quando eu acho que estou recobrando meu controle, me recuperando, ela se ergue e me dá um murro abaixo da linha da cintura... Eu *pensava* que estava menos apaixonada por Harriet; certamente esse caso me corrompe e os contínuos ataques dela contra minha autoimagem — minhas preferências em comida (lembrar aquele dia em Sevilha, descendo o Sierpes, depois que eu tomei uma bebida de amêndoa, quando ela me declarou que eu tinha uma "sensibilidade tosca"), arte e pessoas, o meu comportamento em público, a minha carência sexual — fazem mal ao meu amor. Digo a mim mesma que ela está destruindo o meu amor por ela, mediante sua hostilidade e vulgaridade, que é só deixar que as coisas aconteçam, que então eu vou me ver tristemente livre. Mas não é assim...

27/4/58

Ler Hemingway, *As torrentes de primavera*, *Oblómov* [de Ivan Gontcharov]; *De profundis* [de Oscar Wilde],

"Todos os julgamentos são julgamentos da vida de alguém, assim como todas as sentenças são sentenças de morte." (Oscar Wilde)

31/5/58

Que emoção senti ao ver "Dachau, 7 km", enquanto corríamos pela Autobahn rumo a Munique no vagão dos antissemitas holandeses!

Uma atividade passiva, uma passividade ativa.

De mim para Harriet: "É melhor ficar entendiada *consigo mesma*. Não é possível construir a vida na base de um turismo emocional e sexual. É preciso uma vocação...".
Turismo é essencialmente uma atividade passiva. A gente se instala em determinado ambiente — esperando ficar empolgada, alegre, entretida. Sem que a gente precise acrescentar nada à situação — o ambiente já está bem carregado.

Turismo e tédio.

1º/6/58

Munique.

Céu coalhado de nuvens.

A poesia de ruínas.

Ruas de asfalto largas, vazias; prédios novos, anônimos, de cor creme; soldados americanos de pescoço gordo, bunda gorda, na ronda em seus compridos carros de cor pastel.

A Frauerkirche com suas duas torres-peitos.

4/6/58

Que diferença pode haver entre a situação de alguém de juízo perfeito num mundo de loucos, e de um louco onde todos têm juízo perfeito?

Nenhuma.

Suas situações são idênticas. Loucura e juízo perfeito são a mesma coisa, um isolamento.

25/6/58

[*Esta entrada é acompanhada por um autorretrato de SS deitada.*]

... *Não* procurar nas pinturas abstratas as formas — cenas — que se podem distinguir nelas. Isso é olhar a pintura de um modo antes literário do que plástico. Mas aí pouco ou nada se pode *dizer* a respeito delas...

4/7/58

Ler, ao voltar da Alemanha: *O desprezo*, de [Alberto] Moravia, + *Santuário*, de Faulkner. Reler o maravilhoso "Melanchta" de [Gertrude] Stein.

Notas sobre Brecht: realismo perfeito na sensacional verossimilhança de representação nos figurinos, nos gestos, nos penteados, nos móveis (por exemplo, na cena da Juventude de Hitler em *Terror e miséria do Terceiro Reich*, o penteado da mãe é de fato um estilo de 1935, o *Völkischer Beobachter* que o pai está lendo é de fato um [exemplar do jornal nazista] da época). Mas o realismo está emoldurado, contido em algo maior, assim como os atores representam numa plataforma erguida no palco, um palco menor sobre o palco propriamente dito.

13/7/58

Atenas

Toda pessoa tem o seu mistério.

A maneira como cada homem dança ao som da música *buzuki* [tocada por um bandolim grego] exprime seu mistério. Ele está rezando para si mesmo. Ele propicia seu próprio mistério, está sendo transportado, experimenta uma catarse.

O olhar drogado do dançarino. Ele brinca no limite do equilíbrio. Ele é uma serpente e contorce o corpo. É um pássaro e revolve os braços como asas. É um bicho e fica de quatro.

O dançarino dá tapas na coxa e/ou se belisca a fim de manter controlável seu estado de possessão.

Enquanto a pessoa dança, o resto fica olhando. Cada um dança sozinho. Os espectadores assoviam para animar, de forma amistosa. Quando ele terminou de dançar, os outros podem brindar à saúde do dançarino; não aplaudem, pois aquilo não é uma exibição.

A cantora de *buzuki*, mulher pequena de cabeça grande, braços curtos e voz meio de bruxa, meio de criança — a qual lamenta, apela, exulta e se lamuria...

Provar uma cidade nova é como provar um vinho novo.

[*Folha solta do caderno, sem data, exceto pelo anotação "1958"*]

Os amores mais perfeitos são ilícitos.

Estreita ligação entre paranoia + sensibilidade.

A "apatia terapêutica" do [marquês de] Sade.

Nova York: toda sensualidade é convertida em sexualidade.

14/7/58

... Viver com Harriet significa enfrentar um ataque total contra a minha personalidade — minha sensibilidade, minha inteligência, tudo exceto os meus livros que, em vez de serem criticados, são objetos de rancor.

Mas para mim é bom, eu acho — não tem nada a ver com o fato de que essa crítica provém da pessoa que eu amo. Eu *me tornei* vaidosa nos anos em que vivi com Philip. Fiquei acostumada com a sua adulação frouxa, parei de ser rigorosa comigo mesma e aceitei meus defeitos como amáveis, uma vez que eram amados. Mas é verdade — o que Harriet ataca — que não sou muito perspicaz quanto às outras pessoas, ao que estão pensando e sentindo, embora tenha certeza de que possuo o dom de ser empática e intuitiva. Meus sentidos ficaram embotados, sobretudo o sentido do olfato. Talvez isso seja necessário, essa virada para dentro e esse embotamento da minha sensibilidade, da minha agudeza. Caso contrário eu não teria sobrevivido. Para continuar lúcida, me tornei um pouco impassível. Agora tenho de começar a pôr em risco a minha lucidez, reabrir os meus nervos.

Além disso, aprendi com Philip muitos hábitos empobrecedores. Aprendi a ser indecisa. Aprendi a falar de forma repetida, a repetir a mesma observação ou proposta (porque ele não escuta, porque nada é atendido se não for dito muitas vezes, porque o fato de ele concordar com uma coisa uma vez não é visto por ele como compromisso). Philip é extremamente desatento quanto ao que as outras pessoas estão pensando ou sentindo na sua presença (lembrar o fiasco na entrevista do [professor Frank] Manuel em Brandeis há seis anos), quanto àquilo que as preocupa etc. *Eu* me tornei menos perceptiva também — apesar de todas as discussões que tínhamos dentro do carro depois das festas, entrevistas e conferências, nas quais eu tentava instruí-lo sobre como ser mais atento.

P também me persuadiu da sua ideia de amor — que uma pessoa pode *possuir* a outra, que eu podia ser uma extensão da sua personalidade e ele da minha, como David seria de nós dois. Amor que incorpora, que devora a outra pessoa, que corta os tendões da vontade. Amor como imolação do eu.

Meus gestos são lânguidos, por exemplo, a maneira como me penteio, o passo com que caminho — Harriet está certa, embora não esteja certa em sentir rancor por isso.

Lembrar: Minha ignorância *não* tem [*sublinhado duas vezes no diário*] o menor charme.

Melhor saber os nomes das flores do que confessar infantilmente que desconheço a natureza.

Melhor ter um bom senso de direção do que contar como muitas vezes me perco.

Estas confissões redundam em cabotinismo, mas aqui não tenho nada do que me vangloriar.

Melhor saber do que ser ingênua. Não sou mais uma menina.

Melhor ser decidida, obstinada, do que educada, submissa, dócil à escolha de outra pessoa.

Admitir meus erros, quando fui enganada ou se aproveitaram de mim — um luxo que raramente devo me permitir. As pessoas podem paracer solidárias, na verdade nos desprezam um pouco. Fraqueza é um contágio, gente forte evita os fracos com razão.

P me manda cartas cheias de ódio, desespero e superioridade moral. Fala do meu crime, da minha insensatez, da minha estupidez, da minha permissividade. Ele me conta como David está sofrendo, chorando, solitário — como eu estou causando seu sofrimento.

Nunca vou perdoá-lo por atormentar David, por ter organizado este ano de modo que o meu menino sofra mais do que devia. Mas não me sinto culpada, tenho certeza de que essas feridas em David não são muito graves. Meu querido, meu doce menino, me perdoe! Vou compensar você por isso, vou ficar com você junto comigo e fazê-lo feliz — do jeito certo, sem ser possessiva nem temerosa nem viver indiretamente em você.

Philip é desprezível. Vai haver uma guerra de morte entre nós — por causa de David. Admito isso agora, não vou ceder à piedade, pois é a vida dele ou a minha.

As cartas dele são um urro de dor e de autocomiseração. O apelo básico é uma ameaça, a mesma ameaça lançada pela velha mãe judia (a mãe dele para Marty [*irmão caçula de Philip Rieff*]) ao filho ou filha cativos: Deixe-me — ou: case com essa não judia [*Martin Rieff casou com uma católica*] — e eu vou ter um ataque do coração, ou então vou me matar. P escreve: "Você não é você. Você é nós...". Depois desfia um catálogo das suas mazelas físicas — choro, insônia, colite. "Vou morrer antes dos quarenta anos."

Exatamente! Se eu volto para ele, não sou eu. Ele não poderia apresentar a situação de modo mais preciso. Nosso casamento é uma sequência de autoimolações alternadas, ele em mim, eu nele, nós dois em David. Nosso casamento, casamento, a instituição da família que é "objetiva, correta, natural, inevitável".

16/7/58

Delfos

Montanhas fantásticas e penhascos rosados, o mar devidamente vasto no vale, como no fundo de uma bacia, cheiro de pinheiros, colunas de mármore cinzento estendidas no chão feito troncos de árvore — meio imersas no solo, cigarras cantando, campainhas de burro e gritos de burro (a simulação da agonia) que ecoam nos penhascos, o homem de bigode moreno, sol quente, o verde-prateado palpitante das oliveiras plantadas em terraços na encosta do morro, velhas sorridentes...

Acho que consigo viver sem Harriet, afinal...

17/7/58

Atenas

Atenas daria um bom cenário para um conto — sobre estrangeiros em viagem. Tem uma porção de acessórios de cena atraentes e bem definidos.

As rechonchudas rainhas americanas de Atenas, as ruas poeirentas cheias de obras, bandas de *buzuki* nos jardins da taverna de noite, comer pratos de iogurte espesso, fatias de tomate, umas ervilhazinhas verdes e beber vinho resinoso, os enormes táxis Cadillac, homens de meia-idade andando ou sentados no parque, passando os dedos na cabeça cor de âmbar, os vendedores de milho assado sentados nas esquinas junto aos braseiros, os marinheiros gregos em suas calças brancas apertadas e com cintas pretas e largas, ocasos cor de morango, por trás dos morros de Atenas, vistos da Acrópole, velhos nas ruas sentados junto às suas balanças propondo pesar a gente em troca de um dracma...

[*Sem data, mas certamente escrito durante a viagem de SS e Harriet para a Grécia em julho de 1958*]

Não restou nenhum gesto emocional grande e livre no repertório do nosso casamento — círculos de insatisfação + dependência cada vez mais estreitos

1959

[*Sem data mas quase seguramente início de 1959*]

A feiura de Nova York. Mas eu gosto de fato disto aqui, gosto até de *Commentary* [*revista que contratou SS como editora e na qual colaborou com artigos e resenhas*]. Em NY a sensualidade se transforma completamente em sexualidade — não há objetos para os sentidos reagirem, nenhum rio lindo, nem casas nem pessoas lindas. Cheiros horrorosos na rua, e sujeira... Nada senão comer, se tanto, e o frenesi da cama.

Ajustar-se à cidade versus fazer a cidade reagir melhor ao eu.

3/4/59

Leio *Crime e castigo* e *Milton*, de Blake. Quero ler Apollinaire.

[*A entrada seguinte, sem data mas quase seguramente escrita na primavera de 1959, diz respeito a Elliot Cohen, o primeiro editor da revista* Commentary, *na qual SS trabalhou depois que chegou à cidade de Nova York naquele mês de janeiro. No final da sua vida, e enquanto SS estava com a revista, Cohen começou a enlouquecer.*]

Elliot Cohen —

vida inteira dominada pela paixão da manipulação. Enxergava tudo em termos de poder. "Elliot tem discernimento. Conhece as pessoas. Ele *gostava* de se cercar de gente íntegra, para usá-las." [*Não dá para saber ao certo de quem é essa citação aqui, mas provavelmente é de Martin Greenberg, um colega de SS na* Commentary.]

"nosso adoentado rei pescador"

esposa trabalhava em Mt. Sinai; filho, Tom, num estúdio de televisão

rua 85 Oeste 1. Zona Oeste

seu anticomunismo na década de 50; comunismo na década de 30.

Nascido em Mobile, Alabama

Descobriu [o crítico Lionel] Trilling

Bob Warshow [escritor, crítico de cinema de *Commentary*] conversou sobre ele com Martin [Greenberg?] em seu leito de morte no hospital, tinha ódio dele exuberância é beleza (Blake)

12/4/59

Estou em má forma. Estou aqui escrevendo isto; escrevo devagar e olho para a minha caligrafia, que parece direita. Dois martínis com vodca com Marty Greenberg. Sinto a cabeça pesada. Fumar é amargo. Tony e um sujeito com uma cara que parece um queijo ([o crítico social], Mike Harrington, estão conversando sobre Stanford-Bonets. Kleist é maravilhoso. Nietzsche, Nietzsche

12/6/59

Orgasmo bom versus ruim

Existem orgasmos de todos os tamanhos: grandes, médios, pequenos.

O orgasmo da mulher é mais profundo que o do homem. "Todo mundo sabe disso." [*Entre aspas mas sem a autoria no diário.*] Alguns homens nunca têm orgasmo; ejaculam sem sentir nada.

Foder versus ser fodida. A experiência mais profunda — mais vivida — é ser fodida. O mesmo vale para ficar por cima e ficar por baixo. Durante anos I[rene] não conseguiu ter um orgasmo deitada embaixo, porque (?) não conseguia aceitar a ideia de se entregar completamente, de ser "possuída".

A lésbica que for "masculinidade pura" não vai nem deixar que sua parceira toque nela.

[*Sem data, mas quase seguramente início do verão de 1959*]

Unidades do exército romano

Centúria — cem homens
Manípulo — duzentos homens
Coorte — seiscentos homens
Legião — dez coortes (6 mil homens)

"*Je suis la plaie et la couteau!*
... Et la victime et le bourreau."*

— Baudelaire

"*J'ai fait des gestes blancs parmi les solitudes.*"**

— Apollinaire

"A ideia do Lar — 'Lar, doce lar' — deve ser destruída ao mesmo
tempo que a ideia da Rua."

— Piet Mondrian

"Maldito seja aquele endividamento mútuo mortal... Eu seria livre
como o ar; e estou afundado no mundo inteiro dos livros."

— Melville

[*Sem data, mas também quase seguramente início do verão de 1959*]

minha agressividade resulta do meu sufoco

* "Eu sou a faca e o talho atroz! [...]/ Eu sou a vítima e o algoz." Tradução de Ivan
Junqueira em *As flores do mal*, Rio de Janeiro, Nova Fronteira, 1985.
** "Fiz gestos vazios em meio às solidões." (N. T.)

(A) crença de que os homens têm permissão, as mulheres não [o que leva a] temor dos homens; dinastia de mulheres chorosas, frágeis, delicadas

(B) *posso* ficar indignada com agressão física porque minha mãe é *fisicamente* fraca (isso não está associado a ela — *au contraire*!)

Vestir calças (com ar desleixado) é o mesmo que ser criança, não ser madura (+ masculinidade)

Quando criança eu tenho menos força — sou mais vulnerável, mais do tipo vítima

[*Sem data, mas quase seguramente do outono de 1959*]

Hebraico de JUDEUS: *haf* (colher), *Mash heh* (bebida) — substantivo, *yada* (conhecer — sexualmente) — verbo, i.e., ter intercurso

As medidas antissemitas do Concílio de Latrão de 1215

Expulsão da Inglaterra — 1290

Salmista tem um "inimigo" (companheiro; camarada de culto; mais do que um mero amigo) no Salmo 119:63

O ano é 1519 [sic] (1958-9)

Rosh Hashana
Yom Kippur
Hanuca
Purim
Pessach

Teddy Roosevelt é um grande filossemita; é por isso que todos os judeus alemães são republicanos

Gueto de Varsóvia — 19 de abril de 1943 (Páscoa dos judeus)

Para os judeus instruídos, nos Estados Unidos hoje em dia, a rejeição ao cristianismo é um pré-requisito para optar pelo judaísmo

A marca do judaísmo no meu caráter, meus gostos, minhas convicções intelectuais, a própria postura da minha personalidade

O contínuo esforço para justificar o fato de ser judia

Judeus emigrados para a Índia oriundos das comunidades do Iraque de Bagdá, Mossul, + Basra durante o século XIX

Invectivas de Malaquias contra a poligamia

"Histadrut" — Federação Geral do Trabalho de Israel

Etiópia tomou o lugar do Iraque como uma das principais fontes de fornecimento de alimentos para Israel

Israel tem cinco instituições de nível universitário

1. Universidade Hebraica em Jerusalém
2. Technion em Haifa
3. Universidade de Bar-Ilan em Bnei Brak
4. Universidade Municipal de Tel-Aviv
5. Instituto Weizmann de Ciência em Rehovot

Alyiah = emigração para Israel

A estrela de seis pontas é chamada de "Magen Davi" — o escudo do rei Davi

Relevância do idioma ladino no espanhol de hoje em dia!

prestar atenção em —

The self-conscious stage in modern French drama, de David I. Grossvogel (Columbia University Press, 1958) Adamov, Ionesco, Apollinaire etc.

Romances —

John Barth, *The end of the road* (Doubleday, 1958)

"Bodies + Continents", de Stanley Berne (em *A first book of the neo-narrative*, 1959)

A tradição do novo, de Harold Rosenberg (Horizon Press, 1959)

Agentes literários (cidade de Nova York)

J. F. McCrindle
John Shaffner
Toni Strassman (James Purdy)

Candida Donadio (Alfred [*Chester (1928-71), escritor ameri-*

cano de ficção experimental, autor de The exquisite corpse, *que SS conheceu por intermédio de Irene Fornes*])

[Sem data, também do outono de 1959]

Mundo de Françoise Sagan — um grupo de parisienses, na maioria ligados às artes, que formam um círculo de paixão sexual não correspondida.

[As entradas seguintes não têm data, mas é quase certo que este caderno tenha sido escrito no outono de 1959.]

Mies van der Rohe: "Menos é mais".

Jane Austen: "Eu escrevo sobre o amor + dinheiro. O que mais existe para se escrever?".

Kafka: "A partir de certo ponto, não há volta. Esse é o ponto que se deve atingir".

O antibritanismo de Ionesco — faz o absurdo de *A cantora careca* parecer uma sala de estar de subúrbio americano.

Estilo de [revista] *New Yorker*:

Dicção da classe média alta bordada com coloquialismos. Dá a impressão de elegância arrevesada — de um amador inteligente — não consegue comunicar a percepção de um sentimento profundo

Minha mãe melhorou suas maneiras ao perder o apetite

[*Sem data, outono de 1959*]

Resultado da autoconsciência: plateia e ator são uma coisa só. Vivo minha vida como um espetáculo para mim mesma, para o meu próprio aprimoramento. Vivo minha vida, mas não vivo *dentro* dela. O instinto de guardar reservas às escondidas nas relações humanas...

Setembro de 1959 [*sem dia específico*]

1. Ser coerente.
2. Não falar sobre ele com os outros (por exemplo, contar coisas engraçadas) na presença dele. (Não deixá-lo acanhado.)
3. Não elogiá-lo por alguma coisa que eu nem sempre consideraria boa.
4. Não repreendê-lo com aspereza por algo que ele foi autorizado a fazer.
5. Rotina diária: comer, trabalho de casa, banho, dentes, quarto, história, cama.
6. Não deixar que ele me monopolize quando eu estou com outras pessoas.
7. Sempre falar bem do seu pai. (Nada de caretas, suspiros, impaciência etc.)
8. Não desencorajar as fantasias infantis.
9. Torná-lo consciente de que existe um mundo dos adultos que não é da conta dele.
10. Não supor que aquilo que eu não gosto de fazer (banho, lavar cabelo) ele também não gosta.

Outubro de 1959 [*sem dia específico*]

Não sou devota, mas codevota

19/11/59

A vinda do orgasmo mudou a minha vida. Fui libertada, mas não é esta a maneira de dizer isso. Mais importante: me estreitou, limitou as possibilidades, tornou as possibilidades mais claras e definidas. Não sou mais ilimitada, ou seja, nada.

Sexualidade é o paradigma. Antes, minha sexualidade era horizontal, uma linha infinita capaz de ser infinitamente subdividida. Agora é vertical; para o alto e para cima, ou nada.

O orgasmo põe em foco. Eu anseio por escrever. A vinda do orgasmo não é salvação, porém, mais que isso, o nascimento do meu ego. Não consigo escrever antes de achar o meu ego. O único tipo de escritor [que eu] poderia ser é o tipo que se expõe... Escrever é consumir a si mesma, apostar a si mesma. Mas até agora eu não consegui gostar nem do meu próprio nome. Para escrever, tenho de amar o meu nome. O escritor vive apaixonado por si mesmo... e faz seus livros a partir desse encontro e dessa violência.

20/11/59

Nunca fui tão exigente com ninguém como sou com I. Tenho ciúme de todo mundo que ela encontra, sofro cada minuto em que ela fica longe de mim. Mas não quando eu me afasto dela e sei que ela está lá. Meu amor quer incorporá-la integralmente, comê-la. Meu amor é egoísta.

Mitologia hindu:

quatro ideias princípios // corporificados em quatro "pessoas"

Criação – Brahma
Preservação – Vishnu
Destruição — Shiva
Renovação — Krishna

Shelley, seguindo *John Frank Newton* (Shelley o conheceu [em] 1812), interpretou Platão como [um] poeta órfico que apresentou o sistema órfico de salvação em seus diálogos (a interpretação neoplatônica esotérica de Platão)

Shelley em *Prometheus unbound* faz Demogorgon falar "A verdade profunda é sem imagem". A poesia é em si mesma uma "abóbada de vidro colorido" que "mancha o esplendor branco da Eternidade".

Cf. [Thomas Love] Peacock, "Memoirs of Shelley"

Dieta órfica (Pitágoras também): nenhuma carne animal (purificação)

Orfismo derivado do hinduísmo?

Cf. os comentários de Shelley sobre a opinião de Platão a respeito de poesia em "A defense of poetry" (escrito em resposta ao ataque zombeteiro de Peacock contra a poesia em "[The] four ages of poetry")

Georg Christoph Lichtenberg, *Gedenkbuch*: "Assim como as nações se aprimoram, o mesmo ocorre com seus deuses".

Kant: moralidade = lei

"*jejeune*" não significa "inexperiente"

"vir a público" não significa "ocorrer"

"Escrever é existir, ser aquilo que somos." (De Gourmont)

21/12/59

Hoje à noite ela [Irene Fornes] saiu do trabalho e foi encontrar Inez no San Remo; Ann Morrissett [jornalista e dramaturga] estava lá. Depois, o Cedar Bar. Ela chegou em casa à meia-noite; eu estava dormindo... Ela veio para a cama, me contou a respeito das conversas da noite, às duas horas pediu que eu apagasse a luz, foi dormir. Eu fiquei paralisada, muda, pesada de lágrimas. Fumei, ela dormiu.

24/12/59

Telefonema de Jacob [Taubes (1923-87)] na noite passada sobre uma conversa que teve com Herbert Marcuse na quarta-feira.

Eu tenho um inimigo — Philip.

Meu desejo [*SS primeiro escreveu "necessidade", depois riscou*] de escrever está ligado à minha homossexualidade. Preciso da identidade como uma arma, para fazer face à arma que a sociedade tem contra mim.

Isso não justifica minha homossexualidade. Mas me daria — eu sinto — uma autorização.

Estou só começando a ter consciência de como me sinto culpada de ser homossexual. Com Harriet, pensei que isso não ia me incomodar, mas eu estava mentindo para mim mesma. Deixei os outros (por exemplo, Annette [Michelson]) acreditarem que era Harriet, que ela era a minha depravação, e que se não fosse por ela eu não seria homossexual, ou pelo menos não seria sobretudo isso.

Relaciono meu medo e meu sentimento de culpa a Philip, ao fato de ele ter divulgado isso para todo mundo em toda parte, na expectativa de mais um julgamento em torno da guarda do filho no verão que vem. Mas talvez ele só esteja piorando as coisas. Assim, por que eu continuo a farsa com Jacob [Taubes]?

Ser homossexual me dá sensação de ser mais vulnerável. Aumenta meu desejo de esconder, de ser invisível — o que, de resto, sempre senti.

28/12/59

... Até agora eu tinha a sensação de que as únicas pessoas que eu podia conhecer a fundo, ou amar de verdade, eram duplicatas ou versões do meu próprio eu desgraçado. (Meus sentimentos intelectuais e sexuais sempre foram incestuosos.) Agora eu sei +

amo alguém que não é como eu — por exemplo, não uma judia, não alguém do tipo do intelectual nova-iorquino — sem nenhuma insuficiência de intimidade. Estou sempre consciente da estranheza de I, da ausência de uma formação compartilhada — e vivencio isso como uma importante emancipação.

1960

[*Janeiro de 1960, mas sem dia específico*]

Cogito ergo est

3/1/60

Das *Reminiscência sobre Tolstói, Tchékhov e Andréiev*, de Górki:

"Em algum lugar, Nietzsche disse: 'Todos os escritores são lacaios de alguma moralidade'. Strindberg não é lacaio de nada. Eu sou um lacaio + sirvo uma amante em quem não acredito e a quem não respeito. Será que pelo menos a conheço? Talvez não. Então você está vendo qual é o problema. É muito triste + deprimente no que diz respeito a mim, Anton Pavlóvitch. E como você também não está passando por momentos muito felizes, não vou discutir os meus pesados grilhões espirituais."

11/1/60

Ponho uma camada positiva em cima dos meus sentimentos negativos...

... Coleridge como um filósofo eu-tu...

... A oitava dos peitos dela.

Stendhal a respeito do comportamento social ou da arte (?): "Criar um impacto, depois sair rapidamente".

Eu gosto dele. E gostaria de ter sido capaz de amá-lo. (Ou: Eu não gosto dele. Mas gostaria de ter sido capaz de gostar dele.) Assim eu o transformo num presente desse sentimento. — Entendo isso como uma dádiva e como uma despedida — Mas ele agora acredita que eu o amo. Ele tenta descontar o meu cheque sem fundos e o cheque volta.

Eu só queria ser gentil. Mas agora me transformei numa fraude e me sinto coagida, oprimida por ele.

Estou envergonhada demais para dizer a ele que o cheque não tem fundos e que deve jogá-lo fora. (Eu estava contando que ele não iria descontar o cheque!)

Ele telefona cobrando seu pagamento. Eu suspendi a ponte levadiça: parei de atender o telefone e de abrir cartas, atravesso a rua para evitá-lo.

I: Sabe por que você acha tão difícil viver?

Você tem rodado sem gasolina.

S: Como assim? Honestidade é a gasolina?

I: Não, honestidade é o cheiro da gasolina.

Imagem de I: eu uso uma pele de náilon. É preciso muito tempo + esforço para conservá-la direito, e além do mais ela nem veste com perfeição, mas eu tenho medo de retirá-la porque não acho que a pele humana que está por baixo consiga aguentar.

Eu tenho medo, digo eu. Tenho medo de que levantar a tampa possa mudar minha vida, me levar a desistir. Não quero saber o que eu penso de verdade, ora bolas, se isso significa que eu iria "desistir de dar aula, mandar David para um orfanato e mandar Irene para o White Horse". Mas I responde: "Na verdade, nada tem muita importância". Eu começo a chorar.

"É melhor ferir as pessoas do que não ser inteira."

Confiar na minha pele.

O legado de mamãe:

A. "Minta para mim, eu sou fraca" — nos dando a ideia de que honestidade equivalia a crueldade. Esse foi o tema (de novo!) desse último agosto, quando Judith ficou revoltada e ao mesmo tempo prostrada, + eu ataquei Judith por ser honesta com mamãe, na frente das duas, + mamãe disse: "Exatamente".

B. A sua falta de capacidade para infligir dor: dar as notícias ruins, tirar a tachinha que entrou na sola do pé — coisas que precisavam ser feitas. Ela chamava a Rosie, + ia para outro quarto até a operação terminar.

"ir para outro quarto":

— eu descendo a escada [*na casa que SS dividia com Philip Rieff, na rua Chauncy 29 em Cambridge, Massachusetts*] para o quarto de David + de Rosie, deitando, tapando os ouvidos, enquanto Philip falava com o médico sobre o resultado do teste de gravidez (verão de 54).

— fazendo I dar um telefonema para Harriet (+ indo para o quarto da frente enquanto ela estava fazendo isso) na noite de sábado em que eu vim com David para a rua Thompson.

Não importa o que eu tenha dito, minha vida, meus atos dizem que eu não sei a verdade, que eu não quis a verdade.

Jacob [Taubes]: a grande obra de [Gershom] Scholem está na cabala luriânica. Ele mostra que ela é uma reação à grande catástrofe espanhola, um combate teológico com a ideia de Exílio, alienação.

Não existe tal consciência — na teologia ou na literatura — do grande evento da nossa época. O preço dos seis milhões não foi pago, eles não podem ser compreendidos como aquilo que conduz ao Estado de Israel — assim Ben Gurion poderia fazer o seu jogo político.

I. diz que a maldade de Harriet não é honestidade; é maldade. Honestidade significa ser honesta o tempo todo, e não só quando a gente tem recursos para isso. Harriet é desinibida na expressão dos sentimentos maldosos. Mas ela não é honesta.

13/1/60

... Pode levar cinco anos para eu compreender por que não gosto de atender o telefone...

... Há tantos níveis em que compreendo o problema do telefone... E a língua contemporânea, com o seu medíocre vocabulário de autoanálise, me ajuda a continuar a viver na superfície de mim mesma. Posso dizer que sou tímida; ou neurótica; ou sensível ao bárbaro insulto à privacidade representado pelo telefone. (Foi essa a teoria de Wolf Spitzer na casa de Helen Lynd numa noite dessas, quando levantei a questão de bandeja para eles.) — Deixo de fora, como algo que nem vale a pena examinar, as sacadas do tipo "psi", como "Minha mãe me obrigava a usar o telefone quando eu tinha dois anos", "Telefones pretos são símbolos sexuais" etc.

Ler o diálogo do Justino Mártir com o rabino Trifão — século II d.C. (cristianismo versus judaísmo)

Relendo *Anna Kariênina*

Durante vários séculos a.C. alguns templos gregos foram conservados como refúgios, onde os emocionalmente perturbados podiam recuperar a calma + atmosfera repousante ("terapia do meio")

14/1/60

Hoje enxerguei para além de Kant (na verdade, ontem, já é uma hora da madrugada). Aulas maravilhosas, as últimas do período: sinto uma grande afeição por vários daqueles garotos —

1. Kant começa no ponto certo, tomando como paradigmático da situação moral um estado de conflito ou de indecisão. Especificamente, o conflito entre inclinação + o sentido do dever.

Aqui, ele está no centro: Comparem com Aristóteles, que faz filosofia moral nos fazendo uma prescrição do tipo de caráter que um homem bom terá, e a variedade de comportamento que vai apresentar. (Considera antes variedades de comportamento do que decisões concretas individuais.)

2. Por conseguinte o imperativo categórico é inútil.

3. Curar, tornar são.

21/1/60

Dificilmente eu penso, exceto quando estou falando. É por isso que eu falo muito.

E é por isso que não escrevo.

Alfred [Chester] diz que não tenho o menor tato. — Mas não que eu seja indelicada, ou precise ferir as pessoas. Na verdade, acho muito difícil ser indelicada — causar dor. (X) A verdade é que sou obtusa, insensível. Harriet dizia isso, Judith dizia isso, agora o Alfred. I não diz isso porque ela não sabe como sou obtusa; ela acha que sei o que estou fazendo, mas que sou cruel.

X: a sensação de estar presa, ser coagida por outra pessoa. Mas a gente não pode se libertar, quer que a outra pessoa liberte a gente. Daí vem a safadeza da pessoa-X numa relação de longo prazo, embora, em resumo, ela se manifeste em calor humano + condescendência.

X num relacionamento sexual passageiro, ou no telefone: a incapacidade de dizer Não.

X ligada ao sentido de vergonha. X = a compulsão para ser aquilo que a outra pessoa quer.

Inspiração se apresenta para mim na forma de ansiedade.

[*Enfiada entre as páginas brancas seguintes, uma tira de papel que diz:*] Blake: Vida + "uma pequena cortina de carne sobre a cama do nosso desejo".

[*Sem data, muito provavelmente fim de janeiro de 1960*]

Comprar

J. W. Allen, [A] *History of political thought in the 16th century* (Methuen, 3ª ed., 1951)

G. N. Clark, *The seventeenth century* (OUP, 1931)

G. M. Trevelyan, *Blenheim: England under queen Anne* (Longmans, 1931)

E. M. Tillyard, *The Elizabethan world picture* (Chatto, 1948)

W. W. Fowler, *The religious experience of the Roman people* (1911)

Denis de Rougemont, *O amor e o Ocidente* [*Este livro foi riscado na lista, talvez depois de ter sido comprado.*]

R. Briffault, *The mothers.*

Calvino, *A instituição* [*da religão cristã*] (2 vols.)

A. D. White, [A] *History of the warfare of science with Theology in Christendom* (2 vols., 1896)

M. Murray, *O culto das bruxas na Europa Ocidental*

B. Malinowski, *Sexo e repressão na sociedade selvagem*

Westermarck, *The origin + development of moral ideas* (2 vols.)

Hobhouse, *Morals in evolution*

Anders Nygren, *Agape and Eros*

Karl Bath, *Esboço de uma dogmática* (3 vols.)

Max Weber, *Ancient Judaism* (Free Press)
[*Este livro foi riscado da lista, talvez depois de ter sido comprado.*]

M. Lowenthal, *The Jews of Germany* (1936)

Theodor Gaster, *Thespis: Ritual, Mith, + Drama in the ancient Near East*

Margolis e Marx, *A history of the Jewish people*

Gerth e Mills, *From Max Weber*
[*Este livro foi riscado da lista, talvez depois de ter sido comprado.*]

Scholem, *Jewish mysticism* [*também riscado da lista*]

Schweitzer, *A busca do Jesus histórico*

[*Sem data, muito provavelmente fim de janeiro de 1960*]

Americanismos: *up-dated* [atualizado], *weather-wise* [capaz de prever mudanças do tempo], *set up* [formar]

Gíria: *cracking up* [elogiar], *flipping* [ficar empolgado]

[*Sem data, muito provavelmente final de janeiro de 1960*]

Ela gostaria de pensar que eu não existo. Eu, ela me contou ontem, represento para ela o latim, o estrangeiro, o bom gosto, a experiência sexual, a inteligência inculta, não educada (isso não está correto, uma vez que, conforme o dicionário, educação é o desenvolvimento do caráter + capacidade intelectual bem como instrução sistemática).

Hoje depois que a obriguei a parcialmente descobrir o mecanismo sobre o qual repousa a força dessas coisas, ela me afasta. Eu a chamo + ela vem + começa a fazer amor comigo. Tenho tanta vontade, e mesmo assim como eu poderia enganar a mim mesma e me convencer de que ela queria mesmo isso — não o fiz. Mas Irene explicou que ela nunca quis tanto isso. A prova, o orgasmo. Porém, por acaso Irene não sabia que ela não me deu isso? Que fui que o arranquei dela? É assim que eu engano a mim mesma, quando usei como prova o fato de que ela nunca antes me dera isso. Ela nunca tinha dado isso antes, + ela nunca deu isso para mim, eu o tomei. Até ela resolver me impedir de tomar isso, a qualquer preço. Por acaso foi uma coincidência o fato de que essa decisão teve a ver com o rompimento final com Harriet? E por acaso não foi o momento em que isso aconteceu, ela pela primeira vez ficou cara a cara comigo, + depois furiosa com a minha presença, com a minha intrusão.

[*Sem data, fim de janeiro de 1960*]

prolepse — antecipação
prolicídio — assassinato de uma prole, especialmente antes ou pouco depois do nascimento (Latim *proles* — prole)
prolixo — palavroso, verborrágico, enfadonho
expedito — diligente, assíduo, esforçado, perseverante
rebelião (fracassada) versus revolução (bem-sucedida)

Past + Present, núm. 15 (abril de 1959): Norman Birnbaum, "A Reforma zwingliana em Zurique"

mítico/ heroico

ler Bush, *Science* + [*English*] *poetry*, Wordsworth, *The excursion*, Livro IV, associando o politeísmo grego com a religião da natureza

Ficção científica inglesa de 1880 chamada *Planolândia* [de E. A. Abbott] (Dover)

Lyon, a capital da Resistência Francesa durante a ocupação alemã

Vlaminck quando jovem era um profissional de corridas de bicicleta

setembro de 1919 — número de setembro de *Der Jude* (ed[itada por] Martin Buber): ensaio de David Baumgardt sobre o Yom Kippur

J. P. Stern, *Lichtenberg* (Indiana University Press)

T. W. Adorno, *Aspekte der Hegelschen Philosophie* (Frankfurt am Main, 1957)

Para D: Edição da Pantheon dos *Contos de fadas de Grimm* (NY, 1944) com intr[odução] de Joseph Campbell

[*Lecionando no curso de sociologia da religião, SS daria aula
no período da primavera de 1960 com Jacob Taubes*]

1) Cartas para Paulo
2) Lindsay etc. espírito/ carisma versus lei/ instituições
3) *Cristianismo e cristandade* (Søren K[ierkegaard])
4) Sohm + Weber

29/1/60

O dormitório fedorento da alma

Importante tornar-se *menos* interessante. Falar menos, repetir mais, poupar o pensamento para a escrita.

prazer da tragédia é suicídio indireto

[*Sem data, muito provavelmente janeiro de 1960*]

Série de contos (à la Strindberg, *Casados*)

1 o casamento redentor
2 guerra do sexo
3 segundo casamento
4 cruzamento de classe
5 don-juanismo
7 casamento rompido por caso homossexual
7 carta para o meu marido (da esposa que foi embora)

Notas sobre o casamento

Casamento + o conjunto da vida familiar é uma disciplina, muitas vezes comparada (na ortodoxia oriental) à do monasticismo. Ambas aparam as pontas mais salientes da personalidade, como pedrinhas roladas pelas ondas do mar se esfregam e se tornam lisas a longo prazo

[*Sem data, também muito provavelmente final de janeiro de 1960; depois de uma longa discussão acadêmica sobre vício e virtude, não reproduzida aqui, SS escreve a seguinte paráfrase de uma citação de Nietzsche*]

Não seja gentil. A gentileza não é uma virtude. É ruim para as pessoas com as quais você é gentil. É tratá-las como inferiores etc.

A malícia elegante de Oxford

Tema de Hawthorne: isolamento versus comunhão

Yeats, Brecht, Lorca

Cânone, repertório

Tema existencialista da busca de uma identidade verdadeira

Ramón Sender foi (na época da Guerra Civil [Espanhola]) editor do excelente jornal liberal de Madri *El Sol*

... Rosto de estrela de filme mudo — ênfase estava nos olhos; agora — na boca

Não existe mais o mesmo tipo de closes — rosto olhando para a plateia, sedutor, suplicante etc. [Agora] rosto olha para outro rosto na tela

I: Na pintura, passei a entender o valor da destrutividade

há tantos níveis de sexo quantos são os níveis de intelecto

[*Sem data, muito provavelmente início de fevereiro de 1960*]

Adventício [*Há uma linha em torno da palavra no diário.*]

Não gosto de escritores que ignoram o elemento estranheza que se introduziu na vida contemporânea a partir da Bomba.

Anos 50:

Saul Bellow: *Augie March* — aceitação sincera da vida americana; figura do autodidata que nasce do fervilhante homem americano

Ralph Ellison

Baldwin

[Herbert] Gold

Algren

Malamud

Reconciliar-se com a realidade da experiência americana

Ano passado:

Thomas Berger, *Crazy in Berlin* — romance

Alfred Grossman, *Acrobat admits* — o olho espantosamente familiar, diabolicamente aguçado, para as minúcias da vida judia da classe média, paródias do estilo literário americano ou da tevê.

Grace Paley, *The little disturbances of man* — contos

Philip Roth, *Adeus, Columbus* — contos

Escritores metropolitanos

Judeus

Poesia-prosa excêntrica

Anos 50: Saul Bellow

4/2/60

A visão platônica de Kant está correta. Vi isso na minha palestra sobre Descartes na faculdade S[arah] L[awrence] hoje de manhã.

A verdade como correspondência aos fatos significa que o modelo da verdade é concebido como *informação*.

É verdade que:

"Está chovendo lá fora."

"Cabul é a capital do Afeganistão."

+ essas afirmações são afirmações verdadeiras porque é Cabul *é* a capital do Afeganistão. A introspecção nunca fornecerá para nós tais resultados.

Mas e quanto a:

"2 + 2 = 4."

"É errado fazer crianças sofrerem."

7/2/60

I acha que "X" é a razão pela qual eu não consigo conversar com duas pessoas ao mesmo tempo (mas sempre me concentro em uma só) e também a razão pela qual eu mantenho outras pessoas afastadas — mesmo algum intruso circunstancial, como garçons — quando estou com alguém...

... O que cria "X" é o meu sentimento de que cada pessoa com quem estou tem de ser a número 1 comigo.

Assim, com cada pessoa eu traio todo mundo. Então depois me sinto culpada, minhas contas ficam uma confusão outra vez...

... Mamãe nunca ficava zangada comigo, só me maltratava. (Graças a Deus, não faço isso com David.) I diz que a mesma coisa era verdade no caso da mãe dela, embora numa forma menos intensa. A mãe de Harriet vivia o tempo todo numa raiva histérica barulhenta — talvez seja por isso que *ela* não sinta X.

Eu senti X em Chicago. É por isso que eu não atendia minha campainha no dormitório, + tinha um toque de campainha em código que só dei para Sheldon e E.

Tive uma relação X com o St. Anne [faculdade, em Oxford].

Não sentia X em relação a Philip. Porque eu estava satisfazendo as necessidades dele da melhor forma que eu podia, porque eu não discutia com ninguém a respeito dele, porque ele *era* o número 1.

[*Sem data, muito provavelmente meados de fevereiro de 1960*]

"O homem são desaparece e não está em parte alguma quando rivaliza com o louco." Fedro, 245

[*Sem data, muito provavelmente meados de fevereiro de 1960*]

A agitação dentro da cabeça — conversas durante o dia inteiro com a amante ausente, impulsos, fantasias

18/2/60

I e eu não conversamos mais de verdade. Já estamos cansadas, conscientes de que tudo já foi dito ou pelo menos que foi dito mais do que foi feito (que nossa ação está defasada em relação à nossa fala). O sedimento de ressentimento se acumula e parece que a coisa civilizada a fazer é uma evitar os olhos da outra.

Lembro quando tomei consciência disso pela primeira vez com P. Foi só alguns meses depois de nos casarmos. A primeira discussão foi um choque (na Midway Drexel, porque eu joguei a minha meia suja no chão do banheiro — e como eu fiquei chorando mais ou menos uma semana depois, quando eu li *Os belos + os malditos*, o jeito como eles discutiram) mas pior ainda era quando discutíamos e não fazíamos mais as pazes. No início nós discutíamos, ficávamos muito zangados, em silêncio, não falávamos; depois um de nós rompia o silêncio para explicar, pedir desculpa, recriminar-se mais um pouco; a discussão mal havia terminado e nós logo púnhamos de lado a mágoa, nos arrependíamos do incidente, chorávamos, fazíamos amor. Mas então começou a acontecer que nós discutíamos, + as brigas duravam muito. Havia um silêncio esgotado, sofrido, de um ou dois dias — ou talvez só de uma noite — e depois, de forma imperceptível, a rotina + as obrigações diárias (de uma vida completamente em comum, que significa fazer compras no mercado + trocar a roupa de cama e querer saber onde foi parar o outro pé de sapato) obrigam a gente a falar, a se mostrar amigável, e o fio é retomado e a discussão não é abolida, mas sim encoberta por um consentimento mútuo.

Isso aconteceu com I e comigo. Não porque nos amamos menos (?) mas porque cada uma sente os limites da outra como mais sólidos, mais opacos.

Quantas vezes podemos nos queixar da mesma coisa?

Ler as anotações recentes de I, de duas semanas atrás, me deu a mesma sensação ruim que eu tinha quando lia as anotações de Harriet. Não que eu tenha visto a mim mesma retratada com dureza outra vez e com frustração. Em vez disso foi a visão de mim mesma lendo as anotações que me perturbou, eternamente à procura do meu rumo nas opiniões dos outros.

(Taubes)

Aristóteles versus Hegel:

Hegel é conciliável com o cristianismo, Aristóteles não

Em Hegel existe a possibilidade de conversão ("Brechas"); em Aristóteles: crescimento natural, homem se torna mais humano, preenche a finalidade natural

Hegel tem *tempo*, *liberdade*, *história* — Aristóteles não tem nenhum deles. Hegel é típico da filosofia *moderna*

ler:

Ortega y Gasset, [*Estudos sobre o*] *Amor* (Meridian)

Primeira parte: uma crítica ao livro de Stendhal sobre o amor (doutrina da cristalização), egocentrismo, "análise intelectual" — é óbvio que Stendhal jamais amou

Segunda parte: Lady Hamilton. O que tinha essa mulher dissimulada para que todos aqueles grandes homens a amassem

19/2/60

(I)
Duas coisas se entendem por "ser passivo". Ser alvo da ação. Não reagir. São coisas completamente distintas. Na primeira a pessoa pode ser "ativa" (?)

Alfred diz que se sente enganado pelos anos em que foi ativo sexualmente. Sente que se deteriorou sexualmente, seu pênis ficou menos sensível. Seu corpo todo também.

O que tem mais prazer? O polegar ou a boca? A boca. Por quê?

9:30 [da manhã]

I foi embora faz uma hora. Desde o instante em que ela saiu (e bateu a porta às suas costas) até agora, eu fiquei quebrando a cabeça para entender por que não falei: "Por favor, não vá" (o que ela não poderia ter aceitado) e depois: "Por favor, espere um pouco para a gente poder conversar" (estava quase na hora de David ir para a cama). Mas eu não falei nada desse tipo. Apenas senti uma raiva enorme dela, exatamente como a gente sente de alguém que acabou de avisar que está prestes a causar uma dor terrível na gente.

Também fiquei muito ocupada me desculpando — ainda estou doente, muito deprimida + um pouco assustada com a ruptura, David está mais doente + estava no quarto vizinho, o telefone podia tocar. Mas isso não é importante. O difícil mesmo é aceitar que I é falível e temperamental, em suma (como parece tolo dizer isso), não é perfeita... Que ela é "minha pobre queridinha" — como eu sou para ela, como são todas as queridinhas.

O motivo pelo qual eu raramente consigo [*essas palavras substituem "nunca consigo", que estão riscadas*] consolá-la quando ela está deprimida, e nunca consigo apaziguá-la quando fica zangada comigo, é que eu sempre pressuponho que ela deve estar com a razão. E, como tem a razão, ela *deve* ser mais forte.

Se ela está zangada comigo, tudo o que sei [*"sinto" está ris-*

cado] é que fiz algo errado + ela está me punindo. Alguém tentaria lisonjear ou persuadir a pessoa que está recebendo a punição merecida?

Também a ideia de que ela nunca diria nada que não fosse a sério — ou que eu tenho de interpretar o que ela diz, tentar entender — é muito diferente da maneira como sempre pensei a respeito dela.

Talvez isso seja parte do motivo de eu ter ficado chocada e magoada ao ler nas suas anotações que ela às vezes tem dúvidas sobre seu amor por mim, desde o início.

Não conta nem um pouco a meu favor o fato de que eu *não* duvidei, de que acreditei que era um milagre.

Eu *devia* ter duvidado. Mas estava propensa demais a decidir e a agir. Estava e estou muito afobada para anunciar e abolir meus sentimentos.

... Lembro como na primeira semana eu ficava o tempo todo perguntando a ela (embora na verdade eu não tivesse nenhuma dúvida) se me amava e como me amava, como se o sentimento dela, desde o início, fosse o padrão que nós duas teríamos de aceitar. — Foi assim, é curioso.

A última vez em que ela foi embora — em novembro — pensei que eu ia ter um ataque do coração. Agora estou rabiscando estas palavras. A medida do embotamento na batalha entre nós duas nos últimos três meses.

Hoje à noite eu lhe disse que ela vivia me colocando numa posição em que eu tinha de dizer "Me desculpe".

Ela me disse para ler um manual de sexo.

É muito difícil me livrar da ideia de que ela não pode ["*zangar-se comigo*" *está riscado*] sentir-se maltratada por mim porque ela é mais forte! Como se estivéssemos cometendo um erro enorme + me tratando como um igual.

12:00

I deve estar pensando se deve voltar para casa agora (esta casa que ela nunca chamou de lar). Talvez já tenha resolvido não voltar nesta noite.

Tantos impasses entre nós: este apartamento, nossa casa juntas; o sexo; David; o trabalho.

Por que não falei para I largar o apartamento no centro? Por que ela não procurou um apartamento maior? Por que nós não fomos até lá + pegamos as coisas dela? Nossas conversas sobre isso e até a simulação de que estávamos resolvendo fazer isso me faz lembrar a maneira como P e eu muitas vezes conversávamos sobre usar dois métodos de contracepção + começar a fazer sexo outra vez. Isso nunca chegou perto de acontecer — não *fizemos* nada a respeito do assunto, era só conversa. Deveríamos ter sabido.

... Assim como o presente é frustrante, o passado é mais real. Como I lembra o nosso passado, tantos detalhes que eu esqueci embora eu lembre muita coisa. Em todo casal existe alguém que é o historiador do relacionamento: com Philip e comigo, era eu quem lembrava; com I, é ela quem lembra...

[*Sem data, fevereiro de 1960*]

Nos Estados Unidos, o culto da popularidade — querer ser apreciado por todos, inclusive pelas pessoas de quem a gente não gosta

[*Sem data, fevereiro de 1960*]

X, o flagelo.

"X" é quando a gente se sente um objeto, e não um sujeito. Quando a gente quer agradar e impressionar os outros, ou dizendo o que eles querem ouvir, ou os deixando chocados, ou contando vantagem + mencionando o nome de gente famosa a torto e a direito, ou sendo muito bacana.

Os Estados Unidos são um país muito X. Podem limitar "X" com regras de comportamento de classe + sexo, que os Estados Unidos definiram claramente.

A tendência de ser indiscreto — ou sobre si mesmo ou sobre os outros (as duas coisas andam juntas, como em mim) — é um sintoma clássico de X. Alfred apontou isso na White Horse numa noite dessas. (Foi a primeira vez que I e eu falamos sobre X com alguém.) Alfred é como eu nesse aspecto. Alfred tem enormes blocos de X!

Quantas vezes falei para as pessoas que Pearl Kazin era uma namorada importante de Dylan Thomas? Que Norman Mailer faz orgias? Que [F. O.] Matthiessen era gay? Tudo de conhecimento público, está claro, mas quem sou eu afinal para sair por aí divulgando os hábitos sexuais dos outros?

Quantas vezes já me injuriei por causa disso, o que é só um pouco menos ofensivo do que o meu costume de ficar mencionando o nome de gente importante (quantas vezes falei sobre Allen Ginsberg no ano passado enquanto estava na *Commentary?*). E o meu costume de criticar as pessoas se outras pessoas solicitam isso. Por exemplo, criticar Jacob [Taubes] para Martin Greenberg, para Helen Lynd [*socióloga e filósofa social, 1896--1982*] (de modo mais moderado, mas foi porque ela estabeleceu o tom), para Morton White anos atrás etc.

Sempre entreguei as pessoas umas para as outras. Não admira que eu seja tão cheia de princípios e tão escrupulosa quando se trata de usar a palavra "amigo"!

Pessoas que têm orgulho [*uma linha foi traçada em volta da palavra nesta entrada de SS*] não despertam o X na gente. Elas não imploram. Não podemos ficar preocupadas em ferir essas pessoas. Elas controlam a si mesmas por fora do nosso joguinho desde o início.

Orgulho, a arma secreta contra X. Orgulho, o X-cídio.

... À parte a análise, a zombaria etc., como é que eu me curo de fato de X?

I diz que análise é bom. Uma vez que foi a minha mente que me meteu nesse buraco, tenho de cavar eu mesma para achar a saída por meio da mente.

Mas o verdadeiro resultado é uma mudança de sentimento. Mais exatamente, uma nova relação entre sentimentos e a mente.

A *fonte* de X é: eu não *conheço* meus próprios sentimentos.

Não sei quais são os meus sentimentos verdadeiros, por isso olho para as outras pessoas (a outra pessoa) para que elas me digam. Então a outra pessoa me diz quais os sentimentos que ele ou ela gostaria que houvesse em mim. Para mim, isso não tem problema, pois afinal, como não sei mesmo quais são meus sentimentos, quero ser agradável etc.

A primeira vez que me dei conta de que não conhecia meus próprios sentimentos foi quando discordei de Harriet a respeito dos filmes, em Paris:

Kanał [de Andrzej Wajda] (eu gostei, ela não)

Monika [*e o desejo*] [de Ingmar Bergman] (eu não gostei, ela gostou)

Noites brancas [de Visconti] — sobre o personagem de Maria Schell, que ela e Annette [Michelson] detestaram

Não era que eu ficasse esperando para ouvir o que as outras pessoas iam dizer. Eu respondia na mesma hora quando me perguntavam o que tinha achado. Mas então quando ouvia o que Harriet + Han (*Kanał*), Harriet e Sam (*Monika*), Harriet e Annette (*Noites brancas*) achavam, eu me dava conta de que eles tinham razão + eu estava errada, e eu não conseguia imaginar nenhuma boa razão para defender minha opinião.

Como a gente conhece os próprios sentimentos?

Não acho que eu conheça nenhum dos meus sentimentos agora. Estou ocupada demais pondo estacas para eles se apoiarem e mantendo-os juntos.

Lembro que manifestei admiração (+ sentimento de supericridade) quando Harriet uma vez em Paris disse que ela não sabia se já tinha estado apaixonada por alguém. Eu não conseguia entender do que ela estava falando. Eu disse que aquilo nunca tinha acontecido comigo. Claro que não. Pois para mim estar apaixonada é decidir: estou apaixonada + aferrar-se a isso, eu sempre estou bem informada.

Não sei quais são meus verdadeiros sentimentos. É por isso que sou tão interessada em filosofia moral, a qual me diz (ou pelo menos me volta para) aquilo que os meus sentimentos deveriam ser. Por que se preocupar em analisar a matéria bruta, eu argumento, se eu sei como produzir diretamente o metal refinado?

Por que eu não sei o que sinto? Será que não estou prestando atenção? Ou será que estou desligada? Todo mundo não tem naturalmente razões para *tudo*? (P costumava me enfurecer porque havia tantas coisas às quais não reagia — ficar nesta ou naquela cadeira, ir a este ou àquele cinema, pedir isto ou aquilo do cardápio.)

... Por que não nos importamos quando os outros reagem de modo X conosco? Por acaso eu não desprezo, de fato, o jovem prematuramente careca no refeitório da faculdade que deixa o lugar todo cheio de X? Por acaso eu não desprezava Jacob [Taubes] por tentar ser amável, por dizer para Alfred e Irene, na noite da última quinta-feira, que um dia talvez experimentasse ser gay?

Lembro como eu admirava de forma apaixonada a maneira como Nahum Glatzer ia para as festas da faculdade Brandeis, e a certa altura da noite dizia que iria embora às dez horas e exatamente às dez ele levantava + não importava o que qualquer um dissesse, ele ia embora mesmo. É claro, em geral ninguém dizia nada — só porque ele parecia um homem que estava fazendo aquilo que queria fazer, que tinha a intenção de fazê-lo, *que não estava nem um pouco tentado a agir de outro modo.*

O segredo está aí. Assim ninguém pode nos persuadir.

Lembro como P + eu discutíamos a maneira como Nahum ia embora das festas e como eu até disse para Nahum certa vez como eu o admirava por causa disso. Ele apenas sorriu um pouco, não falou nada.

Tão lindo e tão não X ele era conosco, se bem que aparentemente era muito X com a administração da Brandeis!

[*Sem data, mas seguramente fevereiro de 1960. Durante esse período, SS anotou seu dia em minúcias. O que segue são algumas entradas representativas.*]

Sábado:

Acordo às sete
Museu [de Arte Moderna] às dez e meia
I chega à uma hora, café + almoço: [o filme] *Ladrão de alcova*
Quatro e meia – cinco horas café com I; conversa; ela vem comigo num táxi para a rua 118 a fim de pegar David
Deixo I na rua 79 — ela vai encontrar Alfred Chester.

Dou comida para D + ponho na cama. Um telefonema me apressando para ir logo para a festa.

Leio o *Listener* — telefono para Jack, Harriet — saio às nove e meia.

Táxi para a rua 14 — compro ingressos para o filme de Kenneth Anger [cineasta de vanguarda] e festa de Pirandello — saio —
Times Square
Filme de Bardot — em casa às quatro da manhã.

Domingo:

Acordo às sete horas — raiva
Ligo para A[lfred] às nove horas
Jack vem nos pegar às nove e quinze
Café da manhã no Rumplemayer's
Caminhada no Central Park
Hotel Pierre com Jack + Ann + dois amigos (Jack e Harriet)
Táxi para a casa de Alfred
Almoço com I + A, na casa de Bocce
Matinê com ingressos esgotados — eu e I vamos aos Commons
Nossa conversa
Voltamos para Alfred às seis e quarenta e cinco
I telefona para Ann — vamos todos para lá, I, A + David + eu
para a pizzaria Frank's Pizza
Pegamos I às oito horas na rua Hudson — vamos ver filmes
no cinema Carnegie Hall
Dez e meia — táxi para casa, ponho D na cama — I quer
comer — sexo — sem conversa — durmo

Domingo [*uma semana depois*]:

Depressão, lassidão

Tomo Benzedrina às cinco horas
Táxi para Wash[ington] Sq[uare] às seis horas para encontrar A
Jantar na Frank's [Pizza]
Café depois no Regio's [um café em Greenwich Village]

Quarta-feira:

Estou cansada
CCNY [College of the the City of New York] — as aulas estão
boas
Ligo para I às onze horas, digo a ela que estou indo para casa
ao meio-dia
Táxi para casa
Vou para a cama — fazemos amor — eu não gozo — ela me
diz que não entende por que não foi infiel
Ela volta para a CCNY às três e quinze (estou atrasada)
Voltamos de táxi, comemos num restaurante cubano —
Associated [supermercado]
D está esperando
Vou à casa de Pearl Kazin — ela não está — Pearl vem + I vai
ao cinema — nos encontramos à meia-noite e meia numa cafeteria
israelense
Sexo — eu não gozo

Terça-feira:

Cansaço
David está fora
I levantou — eu choro: ela diz que marcou um encontro com
Ann Morrissett [escritora e dramaturga] para jantar — ela está per-
plexa, não X, abre a água para tomar banho — eu estou me aca-

bando, choramingo para mim mesma, choro, saio, ando até o carro
de Helen Lynd na rua 72 chorando —
    Viagem de carro para S[arah] L[awrence]
    Mais conferência sobre verdade
    Ligo para I no estúdio ao meio-dia — [encontro com] aluno
(Michael Kellemberg) às doze e quarenta e cinco
    Palestra de Taylor à uma hora
    Pego dez dólares emprestados com Peter Reed
    duas conferências (das duas às quatro) sobre Sartre, má-fé, X
    Táxi, trem, táxi para casa
    Amargura + mágoa de novo — D chega um minuto depois —
telefono para I vir para casa — ela diz que vai chegar logo — tento
dormir, David está na cama lendo — I toca a campainha às seis e
meia — D + eu descemos — passo um cheque no Associated —
sanduíches
    Táxi para a casa de Marguerita — A leva David para cima
    Seminário de Jacob [Taubes] sobre Hegel (sete e dez)
    Táxi para a rua 100 — I fala com a mãe dela — piadas de saca-
nagem — goiaba + queijo
    Táxi para casa
    David para a cama
    Visto calças
    Táxi para o rinque de patinação — A não está lá
    Café Mill — papo sobre filosofia + minha "volúpia"
    Táxi para casa
    Faço amor com I, ela não quer fazer comigo

21/2/60

    Falei com I na noite passada que quanto menos sexo eu
fazia, menos eu queria. (Que coisa inacreditável o que aconteceu

conosco.) É verdade. Ou então é que quando eu tenho um bloqueio sexual, e desisto de sexo, é isso o que eu quero continuar a fazer, pelo menos por um tempo.

[*Sem data, muito provavelmente primavera de 1960*]

... Nunca me dei conta de como minha postura é ruim. Sempre foi desse jeito; eu nunca me pus ereta, salvo quando estava grávida.

Não é só que os meus ombros + as costas sejam curvadas, mas a minha cabeça fica empurrada para a frente.

Assumi essa postura quando estava tentando nadar "com naturalidade". Assim minha cabeça ficava muito para a frente dentro da água e, simplesmente virando a cabeça para a esquerda, minha boca ainda continuava debaixo da água e eu não podia respirar. A fim de respirar, eu tinha de inclinar o pescoço para trás + erguer a cabeça, + isso estragava a minha braçada.

Charles Inge, *The waters of the end* (Lippincott) romance

Blackwell's
Broad Street
Oxford
"Aberdeen's"
Rua 13 + Quarta Avenida. Livros novos com 25% de desconto
Rua 59 + Madison
"Gandin's" — revistas fr[ancesas]

Ler:

Kierkegaard sobre o conceito de ironia (essa foi a sua dissertação, 1841)

Gyorgy Kepes, *The new landscape in art + Science* (Chicago, P. Theobald, 1956)

E. Gellner, *Words + Things* (1959) 21 [*preço vinte e um xelins*]

D. Krook, *Three traditions of moral thought* (1959) 30/

Guthrie, *Orpheus and Greek religion: A study of the Orphic movement*

Paul Tillich, *Teologia da cultura* (Oxford, 1959)

Gunther Anders, *Kafka* 10/6

[*Riscada no diário, talvez depois de SS ter comprado o livro*]
Hans Jonas, *The Gnostic religion* (Beacon, 1958)

D'Arcy [Wentworth] Thompson, *On growth + Form* (1952)

25/2/60

I põe a mão no meu seio esquerdo enquanto estamos sentadas na cozinha conversando. (Estou falando para ela a respeito de Nahum Glatzer.) Interrompo minhas palavras, sorrio + digo para ela que isso está me distraindo. X, diz ela. A gente sente que precisa reagir. De outro modo, você ia continuar falando.

Minha mentalidade de bibliotecária: a incapacidade de jogar fora qualquer coisa, achando tudo (especialmente em palavras) "interessante" + digno de ser guardado.

— copiar as palavras (por exemplo, em francês)
— recortar os semanários ingleses
— prazer que tenho em comprar e arrumar os meus livros

28/2/60

A história do jardim zoológico, de Albee, é um doloroso registro de X. O homem (Peter) está sentado no banco do parque, lendo. Jerry passa + diz, eu queria conversar — a menos que você prefira continuar lendo. É claro que ele prefere continuar lendo, mas diz: Por que não, + baixa o livro.

Situações de X:

(a) Fui almoçar com Aiken, Willis Doney etc., quando eu devia buscar Joyce Carr (com P) à uma hora e levá-la ao aeroporto
(b) Minha noite em Paris (O "Monóculo" etc.) com Allan Bloom
(c) Deixar Henry Popkin me beijar

29/2/60

Mais pensamentos sobre "X":

X é a razão por que sou uma mentirosa contumaz. Minhas mentiras são aquilo que eu acho que a outra pessoa quer ouvir.

Tenho um sentimento tipo X pela Sarah Lawrence [faculdade], como tive no ano passado pela *Commentary*. Por quê? Porque sinto que não cumpri minhas obrigações lá. Não era pontual, não me preparava etc.

Mas repare: isto é verdade. Sou negligente. Faltei à aula na última quinta-feira. Nunca me preparo direito para as aulas de terça-feira. Sempre chego depois do almoço na quinta-feira, quando meu contrato estipula que tenho de estar lá às dez horas. É verdade que dou um jeito nisso, mas minha sensação com o lugar acaba ficando estragada, infectada.

Será que as pessoas que tendem a X *são* habitualmente irresponsáveis?

Será que o problema não está em que eu não conheço nenhum dos graus entre a escravidão total a uma responsabilidade e a irresponsabilidade à maneira de um avestruz? Tudo ou nada, aquilo de que tenho me orgulhado tanto na minha vida amorosa!

Todas as coisas que eu desprezo em mim mesma são X: ser uma covarde moral, ser mentirosa, ser indiscreta a respeito de mim mesma + outros, ser uma impostora, ser passiva.

I diz que não consegue entender como alguém assina um contrato, se compromete — por exemplo, com um emprego, por um ano. Eu digo que não consigo entender como alguém consegue se livrar de fazer alguma coisa, se desembaraça.

I diz que eu não a satisfaço no "primeiro nível". (Onde estão a comida, o sexo, o intelecto — mas no romance.) Ela disse que Harriet não. Meg sim — e foi uma fraqueza da parte dela não amar alguém a quem ela não podia respeitar.

I diz que sou dominada por uma imagem de família de mim mesma: ser a filha da minha mãe.

X é a "má-fé" de Sartre

7/3/60

É preciso distinguir a "verdade" da "verdade sobre". É verdade que 1) estava nevando e 2) Aaron Nolan pôs leite no café que me trouxe. Mas a verdade sobre, por exemplo, o relacionamento entre I e mim não é um inventário daquilo que aconteceu, do que foi dito, feito. É uma interpretação, uma *visão*.

... Existem graus de "verdade sobre".

Que instrumento delicado é a língua.

8/3/60

Via Benzedrina, o impacto de Irene que não para de se infiltrar, dr. Purushottam [*pesquisador hindu convidado por Jacob Taubes para lecionar na Universidade Columbia*]

Semana passada, as aulas desta manhã sobre a ética de Spinoza, a longa meditação sobre Kant que começou em outubro, a ideia de ontem da diferença entre "a verdade que" e "a verdade sobre".

9/3/60

Quinta-feira à noite sonho sobre o ator Kelty:

Eu tinha visto o nome de Jerome Kelty na página de teatro no *World-Telegram* [*jornal de Nova York na época*] naquela tarde. Eu tenho um aluno no CCNY chamado Keelty, que me disse que a pronúncia de seu nome é Kelty (pensei nisso *no* sonho).

I diz que ele era o senhor Culpado.

Estou toda esparramada, quase deitada na minha cadeira.

Meus pés estão no corredor entre as cadeiras

Depois, quando a peça termina, acho diversas meias embaixo do meu assento.

12/3/60

A maneira de superar X é sentir-se (ser) ativa, e não passiva. Eu me sinto ansiosa quando o telefone toca — portanto não atendo ou peço que outra pessoa atenda. A maneira de vencer isso é não me obrigar a atender o telefone. É dar eu mesma o telefonema.

I gosta de provocar briga — o episódio desta noite com o copo na cozinha. Senti ódio dela.

O fim de semana passado cruzou uma linha divisória, e a raiva + ressentimento começaram a jorrar. É difícil desfazer isso. Assim, na noite passada, durante meu sono de remédio e pós-enxaqueca, eu falei "odeio a sua mente". Não é isso. Eu a odeio.

A passividade dos últimos três meses se rompeu. Mas em seu lugar há em mim uma área de frieza + raiva.

I agora está provocando, agitando. Será "para não me privar da minha reação"? Nada de desculpas, nada de justificações. Só: "Eu fiz isso; era o que eu queria fazer".

Nada de parecido com uma tentação. Uma tentação é um desejo, uma volúpia como qualquer outra — mas da qual depois nos arrependemos + gostaríamos de desfazer (ou da qual sabemos de antemão que vamos nos arrepender depois). Portanto não é desculpa nenhuma dizer: "Eu não tinha a intenção. Fui tentada + não consegui resistir". Tudo o que se pode dizer com honestidade é: "Eu fiz isso. Lamento ter feito".

Sentir-se magoada é passivo; sentir-se zangada é ativo.

A fonte da depressão é a raiva reprimida. (I diz que o pai dela, um homem de grandes ataques de raiva, nunca ficava deprimido.)

14/3/60

Esta semana — desde a nossa separação de quarenta e oito horas — não deu certo. Mas não acho que eu tenha o direito de me sentir desanimada, muito menos de me queixar com I. Estou em dívida com ela; devo-lhe um ano de paciência. — Isso parece feio e X, mas não é — contanto que eu me sinta forte, amorosa e com vontade de viver.

O que mais magoa é a incessante contabilidade emocional de I, é que ela ponha em questão o ano que vivemos juntas — ela foi infeliz, o ano foi um fracasso. E pronto.

Noite passada (jantar, pizza, Frank's, com David + I + Alfred) me veio a ideia de que eu tinha perdido I. Foi como um boletim informativo que acende no letreiro de Times Square. Eu quis dizer isso a ela. — (No último fim de semana, aconteceu mais do que eu consigo entender, ou me atrevo a entender.) Disse isso para ela hoje de manhã. Ela não respondeu.

Ela parou de me amar. Não presta atenção em mim, seus olhos estão apagados, ela desistiu.

Eu devia ter confiado nos meus instintos no último domingo, quando voltamos de Commons para a casa de Alfred. (Ela estava deitada na cama de A, tentando ligar para Ann Morrissett.)

Será que devo lhe perguntar se ela quer separar-se outra vez? É o que ela quer. Mas eu acho que ela não vai querer voltar. — Quer ficar livre. Sexta-feira passada eu a libertei. Depois, no domingo, eu fiz a minha cena e consegui nos juntar outra vez. Mas não foi tanto por minha causa como pensei naquela hora.

20/3/60

Acredito em moralidade em pequenas doses.

Não comprar um carro alemão é um gesto de solidariedade, um ato de respeito, um monumento da memória.

Em Philip não existe nenhum amor à verdade. Pensar é defender sua vontade, suas reações morais. Primeiro ele tira suas conclusões, depois constrói os argumentos para respaldar as conclusões. Pensar é a vontade em busca de apoio para si — nenhuma surpresa.

Ben Nelson [historiador e sociólogo] falou isto no último mês de fevereiro: Philip não está interessado na verdade.

E não era ele que costumava dizer: Estou interessado no sentido, não na verdade?

Para I, amar alguém é expor essa pessoa. Para mim, amar alguém é lhe dar apoio, respaldá-la mesmo nas suas mentiras.

A vontade. O fato de eu hipostasiar a vontade como uma faculdade à parte faz um corte no meu compromisso com a verdade. Na medida em que eu respeito minha vontade (quando minha vontade + meu entendimento entram em choque) eu nego a minha mente.

E quantas vezes eles entraram em choque. Essa é a postura básica da minha vida, meu kantismo fundamental.

Não admira que minha mente seja muda + lenta. Na verdade, não acredito na minha mente.

A ideia da vontade muitas vezes se aproximou do abismo

entre aquilo que digo (eu digo o que não acredito — ou sem pensar bem nos meus sentimentos) e aquilo que sinto.

Assim, eu quis o meu casamento.

Quis ter a guarda de David.

Quis Irene.

Projeto: destruir a vontade.

6/5/60

Comentário banal de W[ittgenstein] na carta para Malcolm continua a ecoar. Quando *ele* diz isso!

I chama a minha atenção para a maneira como eu permito — incentivo? — que David tenha opiniões a respeito de tudo. (Peixe é melhor em Boston que em San Francisco, as cortinas não deviam ser baixadas etc.)

Estou cheia de ter opiniões, estou cheia de falar.

8/8/60

Tenho de ajudar I a escrever. E, se eu também escrever, vai parar essa inutilidade de ficar só sentada, olhando para ela e suplicando que me ame outra vez.

Amar magoa. É como se oferecer para ser esfolada, e sabendo que a qualquer momento a outra pessoa pode simplesmente ir embora levando a sua pele.

14/8/60

[*Em letras maiúsculas no caderno*]: EU NÃO DEVIA TENTAR FAZER AMOR QUANDO ESTOU CANSADA. DEVIA SEMPRE SABER QUANDO ESTOU CANSADA. MAS NÃO SEI. MINTO PARA MIM MESMA. NÃO CONHEÇO OS MEUS REAIS SENTIMENTOS.

[*Mais tarde, SS acrescentou*] (Ainda?)

18/12/60

(1) *Hedda Gabler* [peça de Ibsen]: Assim como I se identifica com a pura vítima feminina ([como no filme de D. W. Griffith] *Lírio partido*), eu sempre me identifiquei com a Madame Piranha Que Destrói a Si Mesma.

As estrelas de que eu gostava — Bette Davis, Joan Crawford, Katharine Hepburn, Arletty, Ida Lupino, Valerie Hobson — sobretudo quando criança.

Essa mulher é acima de tudo uma dama. É alta, morena, orgulhosa. É nervosa, inquieta, frustrada, entediada. Tem uma língua cruel e usa os homens de forma ruim.

Hedda [Gabler] é na verdade muito passiva. Quer ser capturada. Anula suas possibilidades quando elas somem. Lança sua teia por todos os lados e depois estrangula a si mesma.

Ela é jovem, portanto quer ser velha. É casadoura, portanto quer se ver casada. É suicida, portanto quer se ver cometendo suicídio.

Sua arrogância é uma farsa.

(2) Hedda é profundamente convencional. Estremece em face da ideia de escândalo. Toda a sua aparente não convencionalidade — por exemplo, o fato de fumar, de ter revólveres — deriva daquilo que ela, por ser uma *dama* (a filha do seu pai etc.), pensa que pode fazer.

Hedda quer receber contínuas razões (recompensas) para viver. Ela mesma não consegue fornecer tais razões. Por todos aqueles que não lhe podem fornecer razões, ela sente desprezo. O desprezo é sua atitude habitual em relação aos outros, mas seu autodesprezo é mais severo.

Autodesprezo e vaidade. Distanciamento + convencionalidade.

20/12/60

Ler *Memórias póstumas de Brás Cubas* [do romancista brasileiro Machado de Assis], [*muitos anos depois, SS escreveria o prefácio para uma reedição do livro em inglês*]; reler *Sob os olhos do Ocidente* [de Conrad] + Henry de Montherlant.

Terminar o romance [*SS está escrevendo seu primeiro romance, O benfeitor, cujo personagem central se chama Hippolyte, o "H" nesta entrada do diário*] com uma carta de H? — Para?

1961

3/3/61

Jackson Pollock:

"Estou interessado em exprimir, e não em ilustrar as minhas emoções."

"Abandonei a minha primeira pintura em vidro porque perdi contato com a pintura."

"Tento não me aprimorar na pintura, ela tem uma vida própria."

Actors Studio
432 W. 44
(prédio branco)
entre as avenidas 9 + 10
primeiro andar

fonte de X:

não gostar de verdade da pessoa
talvez eu nunca tenha gostado de ninguém

13-14/4/61

enxaqueca:

1. "Estou tão bem que chega a doer."
2. Estou magoada, portanto me consola.

vem depois de *aturar* alguma coisa decepcionante ou desagradável sem me queixar

Meus sentimentos reprimidos vêm à tona — devagar

Na forma de ressentimento

Uma contínua perda de sentimentos

Todavia, sem a força plena do sentimento presente em qualquer momento determinado para lhe dar respaldo, meu ressentimento carece de sustentação. Toma a forma de um *apelo* para que a outra pessoa dê uma solução

Duas necessidades fundamentais em guerra dentro de mim:

necessidade da aprovação alheia
temor dos outros

Minhas reprimendas são sempre uma *reação*, não uma ação. São reprimendas ao outro por me repreender!

Asseguro aos outros toda a liberdade que nego a mim mesma. Para exprimir seus sentimentos, ser aquilo que são (porque "eles não podem evitar"). As únicas coisas pelas quais permito a mim mesma ficar zangada são:

trair uma relação de confiança
recusar me ajudar

14/4/61

Não sou uma pessoa boa.

Dizer isso vinte vezes por dia.

Não sou uma pessoa boa. Desculpe, é assim que é.

As reprimendas não os magoam.

23/4/61

Melhor ainda.

Dizer: "Quem é você, afinal?".

23/4/61

O problema das emoções é essencialmente um problema de escoamento de esgoto.

A vida emocional é um complexo sistema de esgoto.

Tem de cagar todos os dias senão acaba ficando bloqueado.

São necessários vinte e oito anos cagando para compensar vinte e oito anos de prisão de ventre.

Prisão de ventre emocional, a fonte da "armadura do caráter" de Reich.

Onde começar? A psicanálise diz: por um inventário do excremento. Dissolve sob um olhar contínuo — humorístico, no final das contas.

Escoar o esgoto por meio de gritos? Contar tudo para as pessoas? Quebrar alguma coisa? Esta última é a fantasia predileta de Susan Taubes. Mas não funciona se o objeto é *conscientemente entendido* como simbólico.

Meu problema como escritora é como não ficar nem totalmente fora (como com Frau Anders) nem dentro, como com Hippolyte [*ambos são personagens no romance de SS, O benfeitor*].

Cassirer, vol. ii [*Ernst Cassirer foi filósofo e historiador da filosofia alemão refugiado. Na época em que SS estava escrevendo, ele era professor na Universidade Columbia*]; o espaço perceptivo (pressuposto no pensamento mítico) versus o espaço métrico da ciência.

O espaço perceptivo é o espaço do conteúdo — das diferenças fundamentais entre direita + esquerda, alto + baixo. O espaço métrico é puro, sem cor, plano, sem destaques, vazio.

O moderno deslocamento da sensibilidade decorre do fato de que ainda experimentamos o espaço perceptivamente, mas não acreditamos mais que a nossa percepção — nossa experiência — seja verdadeira.

Não existe nenhuma mentalidade primitiva (no que concerne a espaço, tempo, identidade, contágio etc.) como algo distinto do modo moderno (científico; racional) de entendimento.

A maneira "primitiva" de ver, experimentar, é a maneira humana, a maneira natural.

A maneira científica é artificial, um produto da abstração. Nunca acreditamos nisso, i. e., não o experimentamos.

Só agora aprendemos/acreditamos que a maneira natural de experiência + percepção é *falsa*, + a maneira artificial [que nunca experimentamos] é verdadeira. Disso resulta uma espécie de esquizofrenia da sensibilidade.

Ciência é uma forma de alienação da sensibilidade.

[*Um dos cadernos de 1961 é uma mera lista de filmes vistos. A certa altura há um intervalo de mais de quatro dias entre os filmes vistos; na maioria dos casos, SS anota ter visto pelo menos um filme, e não raro dois ou três filmes, por dia. O que vem a seguir é uma amostra representativa das três semanas, de 25 de março até 16 de abril.*]

25 DE MARÇO MUSEU [DE ARTE MODERNA]

[Gaumont] *Sept péchés capitaux et l'écriture sainte* (c. 1900)

Ben Wilson, *Oeste da lei* (*c.* 1927) [estrelando] Ben Wilson, Neva Gerber

Lambert Hillyer, *Batismo de fogo* (1920)

Wm. S. Hart "Policial de ficção científica"; *Mãos ao alto* [estrelando] Raymond Griffith

26 DE MARÇO EMBASSY

John Huston, *Os desajustados* (1961) roteiro: Arthur Miller, [estrelando] Marilyn Monroe (Roslyn), Clark Gable (Gay), Eli Wallach, Montgomery Clift, Thelma Ritter

27 DE MARÇO MINOR LATHAM

Josef von Sternberg, *Marrocos* (1930) Marlene Dietrich, Gary Cooper, Adolphe Menjou

29 DE MARÇO NEW YORKER

William Wellman, *Inimigo público* (1951) James Cagney (Tom Powers), Edward Woods (Matt Doyle), Jean Harlow (Gwen), Joan Blondell (Mamie), Donald Cook (irmão de Tom), Leslie Fenton ("Nails" Nathan)

Stanley Kubrick, *Glória feita de sangue* (1957) Kirk Douglas (coronel Dax), Adolphe Menjou (general...), George Macready (General...), Ralph Meaker (#1), Timothy Carey (#2), Wayne Morris (sargento), Emile Meyer (padre)

31 DE MARÇO NEW YORKER

Ingmar Bergman, *Sorrisos de uma noite de verão* (1955) Ulla Jacobssen, Eva Dahlbeck, Gunnar Björnstrand

G. W. Pabst, *Os dez últimos dias* (1956)

1º DE ABRIL MUSEU (DE ARTE MODERNA)

Lynn F. Reynolds, *O forasteiro* [1926] Tom Mix (Lassiter), Warner Oland

3 DE ABRIL NEW YORKER

René Clair, *As grandes manobras* (1956) Michèle Morgan, Gérard Philipe, Brigitte Bardot

[Warner Brothers] Howard Hawks, *À beira do abismo* (1946) Bogart, Bacall

4 DE ABRIL NEW YORKER

Jacques Becker, *Amores de apache* (1952) Claude Dauphin, Simone Signoret, Serge Reggiani

Michael Curtiz, *Casablanca* (1942) Ingrid Bergman, Humphrey Bogart (Rick), Paul Henreid, Claude Rains, Conrad Veidt (major Strasser), Sydney Greenstreet, Peter Lorre

5 DE ABRIL APOLLO

[Jean Boyer] *Crazy for love*, Brigitte Bardot, Bourvil

Mauro Bolognini, *A longa noite de loucuras*, Antonella Lualdi, Franco Interlenghi

6 DE ABRIL MUSEU (DE ARTE MODERNA)

Fridrikh Ermler, *Fragment of an empire* (1929) Liudmila Semiónova, Iákov Gudkin

7 DE ABRIL NEW YORKER

Laurence Olivier, *Henrique V* (1944), Olivier, Aylmer, Genn, Asherson, Newton

René Clair, *O fantasma camarada* (1936) Robert Donat, Jean Parker, Eugene Pallette

10 DE ABRIL NEW YORKER

Mervyn LeRoy, *O fugitivo* (1932) Paul Muni (James Allen), Glenda Farrell, Edward Ellis, Preston Foster, Helen Vinson, Noel Francis

[Warner Brothers] John Huston, *O falcão maltês* (194[1]) Humphrey Bogart, Mary Astor, Sydney Greenstreet, Peter Lorre

12 DE ABRIL CINEMA 16

Michael Blackwood, *Broadway Express* (dezoito minutos)
Richard Preston, *Black and white burlesque* (cinco minutos)
David Myers, *Ask me, don't tell me* (vinte e dois minutos)
Terence Macartney-Filgate, *End of the line* (trinta minutos)
— Canadá
Ralph Hirshorn, *The end of summer* (doze minutos)

13 DE ABRIL RUA BLEECKER

G. W. Pabst, *Die Dreigroschenoper* (1931) Rudolph Foster (Mackie Messer), Carola Neher (Polly), Fritz Rasp (sr. Peachum), Valeska Gert (sra. Peachum), Lotte Lenya (Jenny)

Pow Wow

14 DE ABRIL ARQUIVO

O Griffith report (USC)

Preston Sturges, *Odeio-te, meu amor* (1948) Rex Harrison, Linda Darnell, Rudy Valee

15 DE ABRIL COLUMBIA HUMANIST SOCIETY

V. Pudóvkin, *Tempestade sobre a Ásia* (*Herdeiro de Gêngis Khan* [1928]), Inkijinov

16 DE ABRIL BEEKMAN

Michelangelo Antonioni, *A aventura* (1960) Monica Vitti (Claudia), Gabriele Ferzetti (Sandro), Lea Massari (Anna), Dominique Blanchar (Giulia), James Addams (Corrado), Renzo Ricci (pai de Anna), Esmeralda Ruspoli (Patrizia), Lelio Luttazzi (Raimondo), Dorothy de Poliolo (Gloria Perkins), Giovanni Petrucci (Jovem Príncipe)

1º/5/61

Peço a Irene que seja tão distanciada quanto seria uma médica e completamente amorosa e aberta comigo, ao mesmo tempo.

Os dois pedidos se contradizem.

Detestar ser criticada é uma reação inevitável para quem não se sente responsável pelos próprios atos. Tal pessoa vê todos os seus atos como coerções; eles não emanam dela mesma. Portanto, é claro, toda crítica é injusta, desleal.

MAIO 1961 [*sem dia especificado*]

O livro é um muro. Eu me coloco atrás dele, fora de vista e sem poder ver.

O cinema é um muro, também. Só que fico sentada com as outras pessoas na frente dele. E não é tão culturalmente transponível como o livro — que é um muro, uma fortaleza, que também pode ser transformada em munição para atirar nos outros — aqueles que estão no outro lado [do] muro, e com quem eu vou falar — mais tarde.

A vida da cidade: uma vida em *quartos*, onde a gente fica sentada, ou deitada. A distância pessoal é regida pela disposição da mobília. Numa sala de estar só há uma coisa para se fazer com outra pessoa (além de fazer amor — i. e., ir para o quarto): sentar e conversar. A vida na sala de estar nos obriga a conversar e inibe a capacidade de brincar, e de contemplação.

Harriet conclui: é melhor não ter móveis.

11/6/61

Ler *The slide area*, de Gavin Lambert, e *Luz de agosto*, de Faulkner. Dois tipos de escrita grosseira

12/6/61

Sobre *As ligações perigosas* [do cineasta Roger] Vadim: ser absolutamente lúcido acarreta, sempre, ser ativo — estar no controle, passividade, no sentido de estar indefeso, advém de fazer-se de covarde em face dos próprios sentimentos — portanto, temer as consequências

Exemplo: 1951, verão, com medo de ir para o American Express por receio de me encontrar com Harriet na presença de P. Eu queria vê-la, mas me acovardei diante da ideia de que P iria ver como ela era feia e (como eu lembrava) masculinizada!

Não tive coragem de amar Harriet ou de desafiar Philip. Tive medo dos dois. "Eu só era capaz de lidar com um de cada vez."

(Ainda é verdade hoje, infelizmente + mea culpa)

Essa covardia, ignorância, em face dos meus próprios sentimentos é o motivo por que entrego aqueles a quem amo, verbalmente, a outros quando me recuso a exprimir meus sentimentos para eles

Ser lúcido = ser ativo, não querer ser "bom", i. e., não querer
que cada um, em troca, goste de mim

Eu estou *pourrie* [*ou seja*, "*podre*"], com receio de que não me
"permitam fazer o que eu quiser fazer"

Porque minha carência não é forte — ela teme riscos; requer
aprovação

Ainda não sei como ficar sozinha — mesmo sentada num
café durante uma hora. (Agora estou sozinha, me sinto forte, à
espera de Bobbie na *rue* Caumartin. Mas esta sensação de intei-
reza é muito rara)

Para ser capaz de escrever eu tenho de estar lúcida, sozinha,
muito embora I esteja no mesmo quarto que eu.

Meus romances [sic] não existem como ideias na minha
cabeça. Enquanto eu tomo conhecimento deles, tento fazer planos, anotações para eles. Eles só existem enquanto são escritos;
antes eu fico vazia. Assim como não se pode disputar uma corrida
na própria cabeça, deve-se esperar o tiro para começar

[*Supostamente esta entrada sem data, da primavera/verão de 1961,
que vem a seguir é formada por anotações para um romance que SS
nunca levou a cabo.*]

donnée:

(1) Hedda Gabler — mulher tipo (PROIBIDO)

(2) X (uma mulher) *"le Jour de relâche"*
(3) Ruínas da casa antiga como um museu *Ligações perigosas*
(a) *elle se veut être lucide*

Amante japonesa

(b) *elle se veut être sensuoux* [sic]

fazer Laclos em inglês

nenhum

(a) Entusiástica descoberta laurenciana
(b) Sexo (promiscuidade) como revolta

bacana

[*Sem data, provavelmente do mesmo período que a entrada anterior*]

Burke

Princípio da forma repetitiva: manutenção coerente de um princípio em novas roupagens

9 DE JUNHO

Vendôme, Avenida de l'Opéra: Jerzy Kawalerovicz, *Madre Joana dos Anjos* (1961) Cinemathèque: Erich von Stroheim, *Esposas ingênuas*

294

10 DE JUNHO

Hollywood, *rue* Caumartin: Roger Vadim, *As ligações perigosas* (1960) Jeanne Moreau Gérard Philipe Annette Vadim

12 DE JUNHO

Studio L'Étoile, avenida Wagram: Kenji Mizoguchi, *O-Haru: A vida de uma cortesã*

[*Mais uma entrada sem data do mesmo período*]

Duarte Rei filósofo de Portugal século ii?

Targum = tradução aramaica da Bíblia

Talmude = obra enciclopédica que contém as discussões + as interpretações da lei judaica como se encontra na Bíblia e na Mixná

Seções estritamente relativas à lei são mencionadas como *halakhah*, as não concernentes à lei como *aggadah*

Tanto o Talmude babilônico como o palestino fornecem informações sobre a vida comunitária dos judeus desde o século ii a.C. até o século v d.C....

Jorge Luis Borges, *O labirinto*

[*Esta entrada diz respeito a uma reunião com dois editores, que parece relacionada ao livro* O benfeitor]

Random House
PL 1-2600
Jason Epstein
Joe Fox
Quarta-feira três e meia
Um colete de cor lavanda

COMPRAR

Michel Leiris, *L'Âge d'Homme* [*Esse título foi riscado, supostamente depois que SS o comprou.*]
George Bataille, *O erotismo*
Robert Michels, *Sexual ethics*
Torrance, *Calvin's doctrine of man* (Lutterworth)
Harnack, *The expansion of Christianity* [*in the first three centuries*]
Brooks Adams, *The theory of social revolutions*
Jean Wahl, *Défense et élargissement de la philosophie*
Les recours aux poètes: Claudel (Paris, 1959) 292 pp.
Husserl (Paris, 1959) 2 vols.
L'ouvrage postume de Husserl: La Krisis (Paris, 1959) 17 pp.

R. Caillois, *Art poétique* (Paris, 1958) 202 pp., 2ª ed.

10/8/61

[*As entradas de agosto foram escritas durante a viagem que SS fez a Atenas e à ilha de Hidra no mês de agosto de 1961. Este caderno também contém alguns esboços — esboços de personagens; enredo; algumas passagens mais longas — daquilo que neste caderno é chamado de "Confissões de Hippolyte" e viria a se tornar o primeiro romance de SS, O benfeitor.]*

A serenidade infeliz de B. B.

Por que eu me desprezo em meus sonhos?

Receio que eu nunca tenha usado o meu corpo. (Meus sonhos me dizem...)

13/8/61

David nunca se aproxima de nenhum adulto de maneira amigável a menos que o adulto fale com ele primeiro.

Quando adultos falam com David em geral eu respondo por ele!!

Nunca entendi o ascetismo. Sempre achei que era proveniente da falta de sensualidade, falta de vitalidade. Nunca me dei conta de que existe uma forma de ascetismo — que consiste em simplificar nossas necessidades *e* procurar ter um papel mais ativo quanto a satisfazê-las — o que vem a ser exatamente uma espécie mais desenvolvida de sensualidade. A única espécie de sensualidade que compreendi supõe o amor da volúpia + conforto

Para escrever, é preciso permitir-se ser a pessoa que você não quer ser (entre todas as pessoas que você é)

O papel dos cientistas em relação à economia americana (dependente dos preparativos para a guerra) é como o dos costureiros no mundo da roupa — criar padrões de obsolescência, de modo que a do último ano possa ser descartada

Escrever é um bonito ato. Cria algo que dará prazer aos outros mais tarde

16/8/61

[*No contexto do diário, estas duas frases muito provavelmente se referem a Irene Fornes, mas não o fazem de modo muito explícito.*]

Vulgar, como minha mãe. Apaixonada por poder, dinheiro, sucesso, fama

Quando algo está errado ou não funciona, raramente me ocorre tentar consertar. Eu, em geral — sem pensar —, procuro uma forma de ver a coisa sem pôr em cena a parte defeituosa.

Irene é o exato oposto, por exemplo sua reação à máquina de escrever (com a [tecla] "?" torta, a fita que só desenrola de um lado) que usei durante a semana inteira e ela só começou a usar ontem. Depois de datilografar uma linha, ela resolveu consertar a máquina — e consertou. Consertou a bobina com um pedaço de papel, encontrou o negócio que cria espaço duplo — Tudo isso eu estava fazendo manualmente —

Faço contato com pessoas trocando cartões de apresentação. De onde você é? Ah, você conhece fulano? (um homossexual, se a pessoa é homossexual, um escritor, se a pessoa é escritor, um professor se a pessoa com quem estou falando é professor etc. etc.) Mais tarde, vem: Você leu...? Você assistiu...?

23/8/61

I disse que esse foi o primeiro orgasmo bom que teve em vários meses, e depois eu estraguei.

Ela está se afastando, de saco cheio, não tem mais paciência comigo.

Lembro o que ela propôs outro dia, que ela ia alugar um quarto quando a gente voltasse para Nova York, que a gente se visse "sempre".

Quando a gente tem um tumor, precisa fazer uma cirurgia, disse ela. Eu chorei. Ela pegou minha mão. Mas vai propor isso de novo, em breve.

Falei com ela ontem: "Eu amo você", e ela respondeu: "E o que isso tem a ver com a questão?".

Hoje à noite passei uma hora (quando ela estava lá embaixo, no portão) me masturbando + estudando a minha vagina com um espelho. Quando ela voltou, eu lhe contei. "E você descobriu alguma coisa?", perguntou. "Não", respondi.

PRECAUÇÃO

Não seja cuidadosa quando houver uma coisa boa. Não esteja tão certa de que aquilo que vem depois deve ser bom.

Quando a gente para de ler e baixa o livro, marca a página para poder continuar no mesmo ponto quando pegar o livro outra vez em outro momento. Da mesma forma, quando a gente está fazendo amor e para um momento (para fazer xixi, para tirar a roupa) tem de observar exatamente onde estava de modo que possa retomar naquele ponto exato um instante depois. E então é preciso observar com muito cuidado para ver se dá certo, porque às vezes — depois até mesmo da pausa mais ligeira — é necessário começar tudo de novo desde o princípio.

I: Sexo é hipnose. Manter um ritmo de maneira monótona. (Se bem que nem todos os ritmos são ritmos sexuais.) Ritmos em marchas variadas e sucessivas.

O passado não é nada mais que um sonho.

imagem: uma orquestra sinfônica sem maestro, uma empresa sem diretor, um sonho sem o pai

24/8/61

Nunca falar sobre:

1. Philip
2. Minha infância, escolas etc.
3. Mamãe

Para Irene.

(Guardar estes para a privada-analista, + não falar sobre ela [*Diana Kemeny, a analista que SS começara a consultar na primavera anterior*] também)

Outro dia, I falou: "Comigo, o sexo era uma religião".

No sexo não há lugar para a cortesia. Cortesia (não delicadeza) é unissexual.

[*Datada apenas de "agosto"*]

Armance [*um dos primeiros romances de Stendhal*] — mais discursivo, contudo mais ágil; menos visual, menos dramático do que os romances do final do século xix.

Observar. A ideia da Madame de Malvert de que mencionar a tuberculose de Armance iria acelerar a doença (Cap. 1) — como "palavras despertam sentimentos" — como em *A cartuxa de Parma* [de Stendhal] (Sanseverino na carruagem) conto

Duas pessoas do mesmo sexo e mesmo nome
Uma delas atormentada pela inveja (> e desprezo) pela outra
O espelhamento de duas vidas: filho, bolsa de pesquisa na
universidade, divórcio, emprego, demissão do emprego, analista

12/9/61

[*Perto da data vem a seguinte anotação: "Trem Praga-Paris"*]

1. Nada de afirmações *gerais* sobre o meu próprio caráter, critérios — como "Eu nunca...," ou "Eu não diria..."
Aquilo que foi depositado dentro de mim desde a minha infância — mais como critérios do que como inclinações ou gostos — eu formulo desse modo.

Por exemplo, "Eu não levaria o David para uma clínica" ou "Eu *nunca* emprestei dinheiro para Harriet" —

Gostos, peculiaridades não generalizam a respeito de si mesmos; apenas se afirmam numa instância particular. Não ficam indignados quando não são previstos.

A indignação é um bom sinal de que alguma coisa está errada —

Você não diria: "Eu *nunca* ponho leite no meu café!".

A indignação, a afirmação geral, tem de atestar para todos o *esforço* feito para manter a atitude. Não que seja *sempre* contra as inclinações da pessoa (provavelmente é, na maioria dos casos), mas pelo menos é uma atitude que não foi absorvida, que a pessoa "carrega", como um dever, uma obrigação, uma regra. E a gente fica indignado quando sabe que nem todo mundo reconhece esse dever, + o nosso esforço parece ter menos valor porque nem todo o mundo o fez.

2. Sobre dinheiro: [*não há mais nenhum texto na entrada*]

3. Ficar limpa — o problema está ligado ao sexo. Eu me sinto "pronta para o sexo" depois de tomar banho, mas não há nenhum sexo; por isso reluto em tomar banho — receio a consciência da minha própria carne que o banho sempre me traz. (Uma recordação: o banho de chuveiro — o que eu disse para Danny quando estava indo a uma festa em Near North Side [de Chicago] com ela — me pediram que saísse.)

A Parábola da Doença Fatal:

Três semanas atrás ela seria curada com duas aspirinas; há duas semanas, a penicilina teria dado conta; na semana passada, uma tenda de oxigênio; nesta semana, uma amputação; na semana que vem o paciente vai morrer. Que tolo o médico que sugeriu penicilina na semana passada! Será que ele não só não conseguiu curar como ainda por cima acelerou o progresso da doença?

14-15/9/61

1. Não me repetir
2. Não tentar ser divertida
3. Sorrir menos, falar menos. Ao contrário, e o mais impor-

tante, sorrir quando tiver vontade de sorrir, e acreditar no que eu digo + dizer só aquilo em que acredito

4. Pregar meus próprios botões (+ abotoar meus lábios)

5. Tentar consertar as coisas que não estão funcionando

6. Tomar banho todo dia, e lavar o cabelo de dez em dez dias. O mesmo para D.

7. Pensar no motivo por que fico roendo as unhas no cinema

8. Não fazer gozação com as pessoas, não ser venenosa, não criticar o aspecto dos outros etc. (tudo isso é vulgar e presunçoso)

9. Ser mais econômica (porque a maneira descuidada como gasto dinheiro me torna mais dependente de ganhar todo esse dinheiro)

[*Sem data no caderno*]

I tem razão. Devo desistir de tudo, senão vou ter sempre bile em vez de sangue, pele em vez de carne.

Isso não tem importância. Pensar ou morrer. Não tente "aparecer". Sou luxenta demais: não sei nada da vontade.

Pensar: "Isso não tem importância".

Pensar em Blake. Ele não sorria para os outros.

Eu não me domino. Não devo tentar dominar ninguém; é inútil, pois sou desajeitada demais.

Não sorrir tanto, ficar sentada em posição ereta, tomar banho todo dia e acima de tudo Não Dizer Aquilo, todas essas frases que já vêm prontas para dizer na fita de telégrafo por trás da minha língua.

"Não ter anseios" etc.

Eu tenho de ir *além* até mesmo daquilo que até agora foi difícil demais para mim.

Cuidado com tudo aquilo que você ouve a si mesma dizendo muitas vezes.

Por exemplo, a garota francesa no trem:

Ela: "E a minha irmã ali" — (apontou para a irmã, cara redonda de adolescente, dormindo numa posição desengonçada)
Eu: "Ah, ela é sua irmã?"
Ela: "Sim. Nós não somos parecidas, não é?"

Pensar em quantas mil vezes ela deve ter dito isso, e que sentimentos se encontram por trás dessas palavras — endurecidos, fortalecidos, confirmados toda vez que ela diz essas palavras.

[*Mais adiante na entrada de 15/9/61, bem à frente no caderno, também com a observação* "en avion"]

A ideia da morte, e de medir minhas preocupações em relação à ideia de que eu devo morrer hoje.

Todos os projetos são ridicularizados.

"Espere... Eu não terminei..."

Sexo não é um projeto (à diferença de escrever um livro, fazer uma carreira, criar um filho). Sexo se consome todos os dias. Não existem promessas, objetivos, nada adiado. Não é uma acumulação.

Sexo é o único bem que a morte não pode nos tomar com trapaças, uma vez que a gente tenha começado a ter vida sexual. Morrer depois de um ano de felicidade sexual não é mais triste que morrer depois de trinta anos disso.

Então só as ações repetidas estão livres do gosto amargo da morte.

[*Sem data, possivelmente inserida neste caderno seis anos depois (é impossível dizer se a data escrita é "1961" ou "1967").*]

Há alguns anos me dei conta de que ler me deixava enjoada, que eu era como um alcoólatra que no entanto experimenta uma tremenda ressaca depois de cada porre. Após uma ou duas horas folheando livros numa livraria, eu me sinto embotada, inquieta, deprimida. Mas eu sei por quê. E não conseguiria me manter afastada dessa história toda.

— Também, a necessidade de dormir depois de um acesso de leitura (em especial se li diversos livros) reflete isso (eu costumava passar de um para o outro — sem entender o que eu sentia — e ler daquele jeito sôfrego, com diversos livros ao lado da cama de noite, *a fim de* pegar no sono).

A razão pela qual a maior parte das coisas parece melhor depois de comprada e retirada da loja — até no ônibus a caminho de casa — é que elas já começaram a ser amadas.

(a boneca de plástico etc. que a garota francesa levava na bolsa no trem)

"Eu gosto das pessoas que exteriorizam seus sentimentos."

ouverte, aimable, spontanée

O inglês carece de calor não no sentido da boa vontade mas no sentido da carne

[*Sem data*]

Camus:

Toda vez que alguém (que eu) se rende às vaidades de alguém, toda vez que alguém pensa e vive para "aparecer", esse alguém está traindo... Não é preciso entregar-se aos outros, mas apenas àqueles a quem amamos. Pois aí já não se trata mais de entregar-se a fim de aparecer, mas só a fim de dar. Há muito mais força num homem que só aparece quando deve aparecer. Ir até o fim, isso significa saber como guardar um segredo de alguém. Eu sofri por estar sozinha, mas a fim de preservar meu segredo eu dominei o sofrimento de estar sozinha. E hoje não sei de outra glória maior do que viver sozinha e desconhecida.

Escrever, minha alegria total!

Concordar com o mundo e desfrutá-lo — mas só em nudez.

Henry Bellamann Foundation = [prêmio dado] anualmente
Edith M. Sanson
Diretora
Rua Conery 1534
Nova Orleans

Huntington Hartford Foundation
Rua Rustic Canyon 200
Pacific Palisades
Califórnia

Bolsa para oficina literária

Eugene F. Saxton Memorial Trust
2,5 mil dólares Sem data fixa
Aos cuidados de Harper & Bros
49 E. 33

James Merril Foundation

comprar (La Hune) [livraria em Paris]

Michel Leiris, [*La*] *Possession et ses aspects théâtraux chez les Éthiopiens de Gondar* 1958

L'homme, Cahiers d'Ethnologie, de Géographie et de Linguistique — nouvelle série — Nº 1 publiés par l'École Pratique des Hautes Études (6ème section) et le Centre National de la Recherche Scientifique (Lévi-Strauss etc.)

Librairie Plon
8, rue Grancière
Paris 6ᵉ

7-14
Schaeffner, "Le Pré-Théâtre", *Polyphonie* (Paris I, 1947-8) pp.

H. Jeanmaire, *Dionysos, histoire du culte de Bacchus* (Paris: Payot, 1951)

Falsa cortesia: "sensação ruim"

No meio da frase, passar do elegante "alguém" para o mais cômodo "ele"

19/9/61

Uma coisa esquisita está acontecendo comigo. Tentei ler um catálogo de livros ontem + não consegui + pus de lado. — Estou começando a conseguir diferenciar o bom do ruim!

Existem mistérios (e não apenas incertezas): é isso que o espírito puritano não compreende.

Por exemplo, Saint Divine de Genet.

Querer dormir sem trocar de roupa está ligado a não tomar banho. É quando eu quero fazer isso.

Ficar magra: mudança de identidade.

Celebramos nossas mudanças de caráter alterando nossa aparência pessoal.

Por que Harriet não faz isso?

Como não se pode ser um crente ortodoxo no cristianismo etc., a pessoa não acredita que nenhuma religião seja *o* veículo da verdade. É, literalmente, negar a humanidade das outras civilizações. [*Isso vem seguido da seguinte frase inacabada, que está riscada.*] Uma vez que transcendemos as fronteiras da nossa civilização, nós

[*Sem data no caderno*]

mandar para

Studies on the Left Cuba etc.
Vol. i, N° 3
85 centavos
Caixa Postal 2121
Madison 5, Wisconsin

Librairie Bonaparte
Cinema, filmes

Antonin Artaud et le théâtre de notre temps Cahiers de la Compagnie Renaud-Barrault

Kenneth Anger, *Hollywood Babylon*

Pourquoi aurais-je tué cette femme?

Por que eu teria matado essa mulher?

M[amãe]

"Cheguei ao estágio em que..."
"Com os anos eu me tornei..."
"Vamos encarar os fatos..."

Visconti, Ford
Thréâtre de Paris
15, rue Blanche oito e meia

Exposição de Goya
Galerie Gavea
45, rue de la Boétie
Paris VIII
10h-12:30
2h-7h

3/12/61

Tomar consciência dos "pontos mortos" dos sentimentos
— Falar sem sentir nada. (Isso é muito diferente da minha antiga
repulsa a mim mesma ao falar sem saber nada.)

O escritor tem de ser quatro pessoas.

1) O pirado, o *obsédé*
2) O idiota
3) O estilista
4) O crítico

1 fornece o material; 2 deixa ser publicado; 3 é o gosto; 4 é a inteligência

Um grande escritor tem todos os quatro — mas é possível ser um bom escritor só com 1 e 2; são os mais importantes.

9/12/61

O medo de ficar velha nasce do reconhecimento de que não estamos vivendo agora a vida que desejamos. É equivalente à sensação de maltratar o presente.

1962

[*As duas entradas seguintes estão sem data, mas muito provavelmente foram escritas em janeiro ou fevereiro de 1962.*]

O sorriso de Mary McCarthy [romancista e crítica] — cabelo grisalho — roupa fora de moda vermelha + azul da prússia. Fofoca de sócia de clube. Ela é *O grupo* [romance de Mary McCarthy]. É gentil com o marido.

Escrevo para definir a mim mesma — um ato de autocriação — parte do processo de tornar-se — Num diálogo comigo mesma, com escritores que admiro, vivos e mortos, com leitores ideais...

Porque me dá prazer (uma "atividade").

Não tenho certeza do propósito a que minha obra serve.

Salvação pessoal — *Cartas a um jovem poeta*, de Rilke

7/1/62

O "problema do custo" para os judeus —

Sobrevivência como valor supremo, mérito identificado com sofrimento como meio

Os cristãos tomaram dos judeus (cf. [são] Paulo) *toda a ideia do valor do sofrimento.* (Porém *não* o objetivo da sobrevivência!) *Mas a diferença é que os cristãos na verdade nunca vivenciaram isso, nunca acreditaram nisso* — exceto os primeiros mártires e alguns poucos monges. Nada na experiência deles corresponde a isso (ao passo que os judeus têm a perseguição, os pogroms, o antissemitismo etc.). Os judeus não dizem isso, e sim vivem isso.

É como se uma criança nascesse de pais aristocráticos, que eram primos, e os pais desses pais eram primos, + e assim por quarenta gerações anteriores, + essa criança tem leucemia + seis dedos em cada mão, + sífilis. E alguém diz para ela: "Acho que você é assim porque seus pais eram primos", + ela diz para outra pessoa: "Ele está é com inveja porque sou uma aristocrata".

Espírito = lucidez / tranquilidade.

Judeus falam sobretudo dos seus "direitos" (em vez de falar daquilo que querem).

Semana de 12 de fevereiro de 1962

1. FORMALIDADE ("por favor", "obrigado", "me desculpe" etc.) Maneira de não se entregar às outras pessoas.

David já tem tanto disso, o meu estilo cerimonioso-tímido de tratar os outros

B. Eu digo "me desculpe" quando faço um gesto desajeitado durante o sexo
C. Eu digo "você me ofendeu" quando me sinto magoada, rejeitada etc.

Ideia de mamãe da família chinesa —

"RESPEITO" foi aquilo que ela sempre achou que não recebia — do papai, de mim, de Judith — não que a magoássemos, não a amássemos. Nós a "ofendíamos"

um instrumento da minha tendência geral a ser *evasiva*, indireta, não declarar meus desejos

Certa vez eu disse para I: "Eu prefiro ser educada a ser justa".

2. MALEABILIDADE PREMATURA condescendência

De modo que a obstinação subjacente nunca é tocada.

Isso explica oitenta por cento da minha flagrante atitude de sedução, meu coquetismo

Sou muito orgulhosa — na mesma medida, tenho dificuldade de exprimir o sentimento de humilhação como eu fazia com a raiva > tudo o que consigo fazer é ir dormir

Cf. julgamento de 14 de fevereiro [*quando o processo de PR para ficar com a guarda de DSR foi julgado num tribunal em Manhattan.*

Na verdade, os direitos de visitação de PR foram restringidos. O "Lester" mencionado nesta entrada é Lester Migdal, advogado de SS].

Não admito que me sinto humilhada em relação a Lester, perturbada porque ele deve me detestar, foi frio comigo no telefone —

Eu me protejo me rebaixando prematuramente. Sobrepujo a rejeição do outro ao rejeitar (desprezar) a mim mesma primeiro + mais. Desse modo eu me privo do poder da reação.

3. ESTRAGAR O QUE É BOM (NATURAL, ESPONTÂNEO) POR MEIO DA FALA

A. por exemplo, elogiando D[avid] toda vez (isso é tão raro!) que ele se mostra amável, quando ele ri, lembra a letra das músicas
B. por exemplo, explicando uma situação *enquanto* ele ainda a está experimentando — abarrotando sua mente com fatos

Domingo enquanto Ernst estava fazendo um cisne de papel eu disse para ele [*David*] que era uma coisa japonesa, chamada *origami...*

4. NUNCA PEDIR PRESTAÇÃO DE CONTAS

por exemplo, dinheiro — minha ideia (de m[amãe]) de que isso é vulgar

o dinheiro vem de "algum lugar"

Eu não ganho o dinheiro, eu o mereço. Não pode existir nenhum pagamento justo (assim, seria injusto mais *ou* menos), portanto qualquer pagamento é tão bom quanto qualquer outro

Sobre as coisas que aprendo a respeito de mim mesma:

1) *Eu não generalizo* — vou passo a passo — não falsifico o valor subjacente que produz diversos tipos de comportamento. Tudo o que I diz é uma revelação distinta
2) Tenho de separar *valores* de *atitudes*

A acomodação neurótica produz/se prende a um valor, um ideal, do qual se alimenta, se sustenta

Por exemplo, "é tão bom que chega a doer" > o Judeu do Sofrimento Superior

Eu ainda *valorizo* minha mãe (Joan Crawford, uma dama etc.), embora veja como ela é incorreta, inadequada

Quando eu perder minha neurose, vou perder também boa parte do que tenho de atraente?

O que eu admiro em/me identifico com Monica Vitti ([estrela do filme de Antonioni] *A aventura*) é o contrário daquilo que admiro em Julien Sorel [herói do romance *O vermelho e o negro*, de Stendhal]

Experimentos + Exercícios

1. mascar
2. sentir texturas, objetos
3. controlar os ombros (baixando os ombros)
4. descruzar as pernas
5. respirar mais fundo
6. não tocar tanto na minha cara

7. banho *todo* dia (já tive um grande progresso nos últimos seis meses)

8. Cuidado com a arrogância da noite de terça-feira — irritabilidade — depressão. É o Jacob [Taubes]. [Ele é] substituto de P[hilip] + o seminário. Para mim, dar aula é masturbação intelectual

3/3/62

O número que minha mãe me ensinou:

— formalidade ("por favor", "obrigado", "me desculpe", "queira perdoar", "eu poderia")
— toda e qualquer divisão de atenção é deslealdade
— "a família chinesa"

Eu não fui a filha da minha mãe — fui seu objeto de estudo (assunto, companheira, amiga, consorte. Sacrifiquei minha infância — minha honestidade — para agradar a ela). Meu costume de "me deter" — o que faz todas as minhas atividades e identidades parecerem um tanto irreais para mim — é a lealdade a minha mãe. Meu intelectualismo reforça isso — é um instrumento para o distanciamento de meus próprios sentimentos que eu pratico em benefício da minha mãe.

Pensei que a raiz era o medo — medo de crescer, como se eu, ao crescer, fosse abdicar da minha única pretensão de não ser abandonada, de ser objeto de cuidados.

Pensei que isso acontecia porque eu não conseguia me entregar com firmeza (ou de qualquer modo) ao sexo, ao trabalho, a ser mãe etc. Pois se eu fizesse isso estaria me chamando de adulta.

Mas eu nem cheguei a ser criança de verdade!

A razão por que não sou boa na cama (não "peguei o jeito" sexualmente) é que *não me vejo* como alguém capaz de satisfazer outra pessoa sexualmente. — Não me vejo como alguém livre.

Vejo-me como "alguém que tenta". Tento agradar, mas é claro que jamais consigo.

Chamo minha própria infelicidade porque é evidente para o outro que estou tentando. Por trás de "eu sou tão boa que chega a doer" reside o seguinte: "Estou tentando ser boa. Não está vendo como é difícil? Tenha paciência comigo".

Daí uma vontade de fracassar que muitas vezes — exceto no sexo — meu talento frustra. Assim eu desvalorizo os meus sucessos (bolsas de pesquisa, o romance, empregos). Isso se torna irreal para mim. Sinto que estou usando máscaras, fingindo.

Minha vaidade por ter raros fracassos quando se trata de amor e de fazer amigos significa: "Veja, eu não traí você muitas vezes. Só quando o sentimento era avassalador. Mas não por quaisquer sentimentos eventuais, um sentimento pelo qual eu não poria em risco a minha vida".

Minha monogamia compulsiva é:

1) uma duplicação da minha relação com minha mãe — não posso trair, senão você vai me deixar.

Medo

2) Você não seria importante para mim se eu fosse infiel com você.

Vontade

Orgulho [passa para] obstinação [passa para] medo

5/3/62

Eu subordino o sexo ao sentimento — no próprio ato de fazer amor.

Sinto medo da impessoalidade do sexo: quero que falem comigo, que me abracem etc.

O trauma de Harriet.

#1: sexo como rudeza, baixeza. Isso me deixava com medo.

A ideia americana do sexo como respiração sufocada (paixão). Eles estão sinalizando, não fazendo. Pensam menos quando respiram = menos paixão, frieza. (I)

Atalho: não chamar sexo de sexo. Chame-o de uma investigação (não uma experiência, não uma demonstração de amor) no corpo da outra pessoa. Toda vez se aprende uma coisa nova.

A maioria dos americanos começa fazendo amor como se estivesse pulando por uma janela de olhos fechados.

Sexo como um ato cognitivo seria, na prática, uma atitude útil para mim, para manter meus olhos abertos, minha cabeça erguida — cf. a fantasia de I de estar realizando ou, com mais frequência, estar se submetendo a um exame médico — em que a questão *não* é mostrar excitação sexual pelo tempo mais longo possível. (Nada de espasmos pélvicos, nada de respiração sufocada, nada de palavras etc.)

Eu tenho de fazer sexo cognitivo + cognição sensual — para corrigir o desequilíbrio agora.

Susan Taubes: sexo é sagrado. A racionalização da ignorância voluntária. (Não profanar o mistério olhando.)

3/9/62

Estou sentada na grama junto ao rio. David está jogando bola com um garoto porto-riquenho e um homem.

Sozinha, sozinha, sozinha. Um boneco de ventríloquo sem ventríloquo. Estou com fadiga cerebral e dor no coração. Onde fica a paz, o centro?

Existem sete tipos diferentes de grama no lugar onde estou sentada

[*Desenhos de gramas*]

dentes-de-leão, esquilos, florezinhas amarelas, cocô de cachorro.

— Quero ser capaz de ficar sozinha, achar isso revitalizante —
e não apenas uma espera.

Hippolyte diz: Feliz da mente que tem alguma coisa com que
se ocupar, além das suas próprias insatisfações.

Sonhei com Nat[han] Glazer [*na época, Glazer era colega na
revista* Commentary] na noite passada. Ele veio pegar emprestado
um vestido preto meu, um vestido muito bonito, para a sua namorada vestir numa festa. Tentei ajudá-lo a encontrar o vestido. Ele
se deita numa cama de solteiro + sento ao seu lado e acaricio seu
rosto. Sua pele era branca, exceto uns trechos de barba preta feito
musgo na sua cara. Perguntei para ele como a sua cara tinha ficado
tão branca, + disse que ele devia pegar sol. Eu queria que ele me
amasse, mas não fez isso.

Ann me oprime, Joan não.

Estou esperando que David cresça da maneira como eu mesma esperava terminar a escola e ficar adulta. Só que é a minha vida
que vai passar! As três sentenças que cumpri: a minha infância, o
meu casamento, a infância do meu filho.

Tenho de mudar de vida para que eu possa vivê-la, e não ficar
só à espera dela. Talvez eu devesse abrir mão de David.

7/9/62

[*Esta entrada vem mais adiante no caderno em relação àquela
datada de 15/9/62.*]

Todos os heróis de Freud são heróis da repressão (Moisés, Dostoiévski, Leonardo); é isso o que significa, para ele, ser heroico. Trabalho e diversão. O ego versus o corpo preguiçoso. É por isso que ele atrai o Philip. As pessoas vivem me perguntando (Ann fez isso esta semana) como é que um homem interessado em Freud pode se comportar como faz o Philip. Acho que ninguém leu Freud. Claro, ele era genial quando se tratava de motivos — o que o professor Rieff seguramente não é — mas ele (Freud) era um formidável paladino da vontade "heroica" automutiladora. A psicanálise que ele criou [é] uma ciência da complacência com o corpo, com os instintos, a vida natural — na melhor hipótese.

12/9/62

Maleabilidade prematura, condescendência, de modo que a obstinação subjacente nunca seja tocada, explica oitenta por cento do meu flagrante coquetismo, do meu gosto de seduzir

15/9/62 1:15 DA MANHÃ

Tenho certeza de que I está na cama com alguém neste momento. Sinto o fundo da barriga queimando.

Minha preocupação da noite passada de estar ficando com pneumonia. O restaurante mexicano + México. I disse naquela carta doida e pretensiosa de ontem: "Não consigo respirar".

Rasgar o vestido amarelo.

Sexualidade feminina: dois tipos, a reagente + a iniciadora. Todo sexo é tanto ativo (ter o dínamo dentro de si) + passivo (rendição).

Temor daquilo que as pessoas vão pensar — não o temperamento natural — torna a maioria das mulheres dependente de ser desejada antes que possa desejar.

Amor como incorporação, ser incorporada. Tenho de resistir a isso. Tem de haver tensão na palma da mão da pessoa, como dizem os professores de dança. Você não recebe mensagens se atravessa o passo.

Tento pensar nessa separação [de Irene] como uma tensão. Assim eu posso receber e mandar — mensagens... Abandonar as alternativas dela: "Desespero — fui rejeitada" ou "Ela que se foda".

Nesta sociedade, é preciso escolher o que "alimenta" [*a palavra "entra" está riscada*] — o corpo tem de destituir a mente, + vice-versa. A menos que a pessoa seja muito sortuda ou esperta, antes de mais nada, o que eu não era. Para onde eu quero que vá a minha vitalidade? Para os livros ou para o sexo, para a ambição ou para o amor, para a angústia ou para a sensualidade? Não se pode ter as duas coisas. Nem pense na chance remota de que vou ter tudo de volta no final.

Uma coisa vulgar, detestável, covarde, antivida, esnobe nas sensibilidades de Henry James + Proust. O deslumbramento do dinheiro, a sujeira do sexo.

Ou se é um escritor externo (Homero, Tolstói) ou interno (Kafka). O mundo da loucura. Homero + Tolstói gostam de pintura figurativa — tentam representar um mundo com misericórdia sublime, para além do julgamento — Ou — tirar a rolha da loucura. O primeiro é maior. Eu só serei o segundo tipo de escritor.

20/9/62

A mente é uma prostituta.

Minha leitura é armazenamento, acumulação, fazer reservas para o futuro, encher o buraco do presente. Sexo e comida são apelos completamente distintos — prazeres para si mesmos, para o presente — não servir o passado + o futuro. Não peço nada deles, nem sequer a lembrança.

A memória é o teste. O que se quer lembrar — enquanto ainda estamos no ato ou na experiência — é deturpado.

Escrever é outro apelo, isento daquelas restrições. Quitação. Saldar a dívida com a memória.

Fantasias de sexo com perda de autonomia:

escrava
exame médico
prostituta
estupro

[*Sem data, outono de 1962*]

... Assombrada pelos fantasmas daqueles bebês que não nasceram cujos rudimentos foram elaborados esperançosamente no útero dela, mês a mês, apenas para serem extintos em almofadas estéreis + despachados sem cerimônia pela descarga da privada.

[*Sem data, outono de 1962*]

Livros

Orígenes, *Contra Celsum*
Pritchard, *ANET* [*Ancient Near Eastern Texts*]
~~Morgan, *The Hindu way*~~
~~Huizinga, *O declínio da Idade Média*~~
~~Northrop Frye, *Anatomia da crítica*~~
Cornford, *The unwritten criticism*
Jane Harrison, *Themis*
George Thomson, *Studies in Ancient Greek society* ([*ao que parece comprado na*] livraria comunista na rua 13 Oeste)
G. Le Bras. *Études de sociologie* [*religieuse*] (Paris: PUF)
Murray, [*The*] *Political consequences of the Reformation*
Gibbon, *Declínio e queda* [*do Império Romano*]
Tillich, *The interp*[*retation*] *of History*

16/10/62

[*Folha solta encontrada entre os papéis de SS*]

Sentimentalidade. A inércia das emoções. Elas não são leves e animadas. — Eu sou sentimental. Eu me aferro aos meus estados emocionais. Ou são eles que se aferram a mim?

Gostaria de poder pensar que I simplesmente me aceita sem questionar nada. A maciça recusa de intimidade que há nas suas cartas, os eventuais toques de afeição condescendente.

Nenhuma vez "sinto falta de você", nenhuma vez uma palavra que venha de dentro.

Mas não consigo explicar isso a não ser como o completo colapso, a dissolução indolor de qualquer sentimento por mim. Todos os canais de contato se fecharam.

Tiemni, tiemni. [*Do* Purgatório *de Dante, canto XXXI:* "Poi, quando il cor virtù di fuor rendemmi,/ la donna ch'io avea trovata sola/ sopre me vidi, e dicea: "Tiemni, tiemni!" ("Abrace-me, abrace-me")]

Eu pensava que I tinha a chave, e só ela. Que toda a minha sexualidade estava presa a ela. Agora sei que, tecnicamente, não é assim. Mas, apesar disso, não acredito na realidade de nenhuma outra pessoa.

Não acredito que ela vá voltar para mim. Aqueles que vão embora nunca mais voltam.

— Como minto nas minhas cartas para ela! Quero que ela acredite que estou tranquila e esperançosa — meu derradeiro passe de mágica para trazê-la de volta.

1963

26/3/63

Amar a *verdade* mais do que querer ser *boa*.

Pergunto: Por acaso essa pessoa desperta em mim alguma coisa de bom? Não: Essa pessoa é bonita, boa, de valor?

[*Com data de abril de 1963, sem dia, Porto Rico, e constituído de dez folhas de papel arrancadas de um caderno e grampeadas*]

O olhar é uma arma. Tenho medo (vergonha?) de usar minhas armas.

"Mulheres romancistas carecem de força executiva" (Steven Marcus [professor de inglês na Universidade Columbia] numa noite dessas) — elas têm uma relação diferente com seu próprio ego. Prevalecem mediante a sensibilidade.

Detesto ficar sozinha porque quando sozinha eu me sinto com uns dez anos de idade. (Tímida, insegura, sem jeito, perseguida por dúvidas de ter ou não ter permissão para fazer isso ou aquilo.) Quando estou com outra pessoa, tomo emprestada a condição do adulto + autoconfiança do outro.

Aqui no hotel: — como perguntar que horas eram no telefone nesta manhã; se eu podia levar as toalhas do hotel para a praia; se eu posso descontar um cheque nominal etc.

Dois sonhos na noite passada

— um homem (meu marido — louco?) tentando se matar — abrindo as torneiras — inundando a casa (blocos de concreto) — eu fujo com a criança para um morro adiante — ele vai atrás, me engana, toma a criança e leva para baixo, onde os dois morrem.

— um aluno me denuncia (sobre [lacuna] etc.) na sala de aula. (Sr. Mall Wall?) Não consigo entender por que ele me odeia tanto. Ninguém na turma me suporta. A história começa quando ele está tocando uma gaita (muito bonito) — eu começo falando, peço que pare, mas ele não para. Eu fico zangada + vou lá + tomo a gaita dele. Volto para a frente da turma. Ele pega outra gaita. Eu digo que vou reprová-lo. Então ele fala.

Na outra aula (C[olumbia] C[ollege]) também há uma revolta. Estou falando algo ligeiramente crítico sobre os Estados Unidos — de repente todos os alunos pegam pequenas folhas de papel quadradas + tacam fogo no papel. (É um pequeno auditório.) Há um silêncio completo. Eu paro. Então me dou conta de que é uma declaração, um sinal, um feitiço. Todos eles são (quatro quintos, eu digo, mais tarde) membros de uma organização estudantil fascista. Eu sou condenada.

Passo o resto do sonho esperando em escritórios para falar com um reitor, para explicar. Encontro Friess. Depois ele se transforma numa velha — ele (ela) está ocupado, tem de ir para casa, mas me faz companhia, enquanto estou esperando. Explico que estou surpresa. Durante todos os anos que eu venho lecionando, jamais aconteceu algo assim — e então duas vezes no mesmo dia. Resolvo que vou me internar — quando eu tinha dezesseis, mas não mais.

Não consigo entender por que fiz esta viagem, a não ser pela esperança de que possa haver algo de bom em estar tão infeliz — como se eu pudesse consumir até o fim a minha larga parcela de infelicidade, + e ficar só com a alegria. Passo todos os momentos deprimida, de um jeito lúgubre, desnorteado, sem nada que o dilua ou que me distraia. Feito uma doença. Todo o tempo eu lamento não ter trazido David.

Uma das coisas mais terríveis entre I + mim é a interminável prestação de contas verbal. Toda conversa é uma ferida aberta — justificativa + contrajustificativa, explicação e contraexplicação. Como a questão do meu gosto em cinema — uma ferida aberta, um ressentimento aberto.

Lema de Soitchiro Honda, chefe da famosa fábrica de motocicletas Honda: "A velocidade é um direito humano".

Meu sonho de loucura: não ser mais capaz do esforço necessário para fazer contato. Desobrigada disso por causa da loucura.

Atordoada + sonolenta desde que cheguei aqui — há vinte e quatro horas. O "eu real", aquele sem vida. Aquele de que eu fujo, em parte, ao ficar com outras pessoas. A lesma. Aquele que dorme e quando acorda está sempre com fome. Aquele que não gosta de tomar banho nem de nadar e que não consegue dançar. Aquele que vai ao cinema. Aquele que rói as unhas. Chamo-a de Sue.

Duas coisas contraditórias despertadas em mim por K [*uma amiga e, por algum tempo, amante de SS nesse período*]: vitalidade, em contraste com sua falta de vitalidade; medo de que sua falta de vitalidade seja contagiosa. Os dois sentimentos são asquerosos (cada um depende do outro, e o alimenta).

Por que, afinal, eu nem sequer tentei controlar as coisas com I? Controlar conscientemente, quero dizer. Não esconder ou fugir, mas apenas tornar as coisas melhores entre nós. Nunca faço isso! Em vez disso, deixo o barco correr, até provoco o tipo de conversa que nos inflama. "Como vai o Alfred? O que foi que você disse?" etc. Depois de quatro anos, eu já devia saber onde estão as minas terrestres. Eu sei. Mas sou preguiçosa e autodestrutiva.

Minha aversão à manipulação, a me ver no controle consciente — esta é a fonte de X. X = o desejo de me pôr sob a proteção de outros. A título de pagamento adiantado por essa proteção, ofereço a minha amável impotência.

Trabalho = estar no mundo

Amar, ser amada = apreciar o mundo (mas não estar nele)

Não ser amada, não amar = achar o mundo sem gosto, inanimado

Amar é a maneira mais elevada de estimar, preferir. Mas não é um estado físico.

[Sem nenhum outro comentário, SS copia em caracteres russos os nomes de Lênin e Stálin.]

[Sem data, a não ser "Dom. noite", mas nitidamente parte do diário de Porto Rico.]

Essa saudade de I dos dois últimos dias — do que é feita? Sentimento de perda; frustração; ressentimento? Isso? E se for isso, é só isso? Eu sinto a impenetrabilidade dela — não consigo agarrá-la. Ela se esquiva de mim, me escapa — todavia não consigo parar de sentir falta dela. Os seus julgamentos a meu respeito são como um espinho, uma flecha, um gancho afiado. Eu me debato. Quero me soltar + quero que ela me puxe, as duas coisas ao mesmo tempo.

Em primeiro lugar, tenho de ficar calma. O negócio com Alfred envenena a atmosfera porque eu deixo. Se conseguisse ser generosa (+ não tão carente) eu não me importaria — ou porque eu não me importava com Irene ou porque eu me importava sim.

O que é que está me queimando agora? A acusação de não ter nenhuma vida social. Comigo toda noite ela diz que quer trabalhar. Ou seja, ir para o centro da cidade, para o seu clube social.

Detesto a conversa de I. Detesto a maneira como ela vive fazendo planos, + fazendo um décimo do que planeja. Detesto a maneira como fica na banheira durante uma hora + meia. — Não porque eu deteste a preguiça ou a sujeira, mas porque isso não combina com o seu jeito masculino + tenso. Detesto a maneira como ela insiste em que a escute.

10/4/63

Estar com duas, sem negar uma (sem torná-la um espectador externo)! Por que não posso fazer isso? [*SS parece estar cogitando acerca da sua relação com Irene Fornes e K.*]

De onde vem a histeria — o compulsivo acesso de perguntas? O esforço desesperado de fazer contato?

Não que eu queira evitar que as duas fiquem juntas. Eu ficaria aliviada se fizessem isso. Mas faço de tudo para que isso seja impossível.

Sempre com uma outra — só com uma. Isso se revela na minha escrita. Não há cenas com três —

Estou tão envergonhada. Quero me esconder.

[*Sem data, 1963*]

O olhar — mais íntimo (envolvente) do que o abraço sexual, porque nele não há espaço para distanciamento; o gesto é compacto demais

O estilo monstruosamente emasculado de H[enry] J[ames]

Longa e voluptuosa agonia da indecisão (toda dor sabe como encontrar o seu prazer!)

"Diversão" — o substituto americano para o prazer

8/8/63

 temor de ser deixada sozinha
 nenhum consolo, calor, segurança —
 mundo frio — nada para fazer

 mais aflição quando deito
 levanto
 tomo banho

 perda, perda, perda
 vida um esforço para conservar a sua posição

 minhas entranhas estão ocas

 O que vai acontecer quando David for embora?

 Eu queria pegar um trem esta noite, para bem longe: VOAR

 Tenho medo de segurar, medo de soltar

 Contínuo engano > culpa > angústia

 ...

Como foi que tudo deu tão errado? Como vou conseguir sair dessa barafunda?

... Fazer alguma coisa
Fazer alguma coisa
Fazer alguma coisa

29/8/63

Francês versus inglês

1. palavras dos métiers [*por exemplo, vários tipos de ferramentas para trabalhos etc.*] não assimilados na linguagem geral
2. menos palavras (o inglês é uma lín[gua] gêmea siamesa) — tudo em dobro
3. vocabulário mais abstrato, menos palavras concretas, esp[ecialmente] menos verbos (menos verbos *ativos*)
4. estilo declaratório
5. metáfora menos usada
6. menos palavras para estados de sentimento imediatos

Em francês, uma palavra segue a outra de maneira mais óbvia do que em inglês — são menos opções.

[*Sem data, mas quase com certeza setembro de 1963*]

Minha escrita [de ficção] é sempre sobre dissociação — "eu" e "isso".

[O] problema de assumir responsabilidade — Isso é tratado de forma zombeteira em *O benfeitor*. Hippolyte serenamente argumenta ser responsável por seus atos, mas de forma patente é mais assombrado do que admite...

O benfeitor + dois contos são meditações sobre *faits accomplis* dissociativos, seus riscos + recompensas.

[Jean] é invejável. Ele não se perde — ele incorpora o mundo.

[De novo] é porque é sempre "eu" versus "isso".

Que não existem *pessoas* naquilo que eu escrevo. Só fantasmas.

[*Sem data, final de 1963*]

O êxtase intelectual a que tenho tido acesso desde o início da infância. Mas êxtase é êxtase.

"Carência" intelectual como carência sexual.

1ª EDIÇÃO [2009] 1 reimpressão

ESTA OBRA FOI COMPOSTA PELA SPRESS EM MINION PRO E IMPRESSA
EM OFSETE PELA GRÁFICA BARTIRA SOBRE PAPEL PÓLEN DA SUZANO S.A.
PARA A EDITORA SCHWARCZ EM JULHO DE 2025

A marca FSC® é a garantia de que a madeira utilizada na fabricação do papel deste livro provém de florestas que foram gerenciadas de maneira ambientalmente correta, socialmente justa e economicamente viável, além de outras fontes de origem controlada.